Ainda e sempre psicodrama

CIP-BRASIL. CATALOGAÇÃO NA PUBLICAÇÃO
SINDICATO NACIONAL DOS EDITORES DE LIVROS, RJ

P484a
2. ed.

Perazzo, Sergio
Ainda e sempre psicodrama / Sergio Perazzo. - 2. ed. - São Paulo : Ágora, 2019.
152 p.

ISBN 978-85-7183-236-7

1. Moreno, Jacob Lévy, 1889-1974. 2. Psicoterapia de grupo. 3. Psicodrama. I. Título.

19-59310 CDD: 616.891523
CDU: 616.8-085.851

Vanessa Mafra Xavier Salgado - Bibliotecária - CRB-7/6644

Ainda e sempre psicodrama

Sergio Perazzo

EDITORA
ÁGORA

Editora executiva: **Soraia Bini Cury**
Assistente editorial: **Michelle Campos**
Capa: **Santana**
Projeto gráfico e diagramação: **Crayon Editorial**

Editora Ágora
Departamento editorial
Rua Itapicuru, 613 – 7º andar
05006-000 – São Paulo – SP
Fone: (11) 3872-3322
Fax: (11) 3872-7476
http://www.summus.com.br
e-mail: summus@summus.com.br

Atendimento ao consumidor
Summus Editorial
Fone: (11) 3865-9890

Vendas por atacado
Fone: (11) 3873-8638
Fax: (11) 3872-7476
e-mail: vendas@summus.com.br

Impresso no Brasil

Para Cecília,
que me deu Cecília e Clara,
muito mais que da vida um dia ousei pedir,
mesmo que por direito de conquista.

Para Clara,
que me deu o Sergio,
devolvido intacto dentro de mim,
o brilho do olhar mais intenso.

Amor e paixão,
não sei qual maior,
porque medida não há sob tal marquise,
nesta esquina ensolarada dos cinquenta.

Sumário

Prefácio

A cultura subjacente à formação de psicólogos e psiquiatras, no século XX, organizou o comportamento expressivo, de modo a descompromissá-lo das divindades, em torno da ideia de uma maturidade casmurra, onde aparecem: o terapeuta como modelo exemplar, as relações chanceladas pela impessoalidade, os indivíduos conformados a padrões sociais estáveis e corretos e a busca incessante do homem psicológico puro.

O psicodrama de J. L. Moreno chegou para revolucionar e subverter essa expectativa.

Trouxe a noção do desenvolvimento humano com alegria; ofereceu o contexto teatral para que toda existência subjetiva, da profética à desviada da norma, realize-se para se transformar; sugeriu o princípio da interação terapêutica, pelo qual um paciente é agente de cura do outro; incitou à espontaneidade como forma de liberdade, que é a expressão mais original de cada um; valorizou o social na formação da personalidade, por meio dos elementos operativos culturais do papel; e manteve a intenção de encontrar Deus dentro do homem, façanha incrivelmente atual.

Como desdobramento desses princípios, é importante registrar algumas conquistas do psicodrama para as atividades do psicoterapeuta.

Há muito tempo ele nos ensina a usar o método dialógico e a dramatização para "sustentar a relação" paciente-terapeuta, em vez das interpretações canhestras, selvagens e paranoides. Acolher o relacional é procedimento inserido, hoje, nas modernas psicoterapias. Ao mesmo tempo que aguçamos os ouvidos moucos, ele insinua o ânimo para usarmos os olhos de ver, de lince. A propósito, é interessante lembrar que Freud ouvia seus pacientes, transformando as palavras em imagens, para as quais olhava analiticamente, fazendo verdadeiro "psicodrama interno", cruzando a fala do cliente com as representações de seu próprio percurso afetivo-emocional. Para a discussão do tema "inconsciente", o psicodrama tem oferecido o conceito de "coinconsciente", subsídio dialético confirmado nas tarefas do dia a dia. Na essência de sua "gnose", direciona-se para o interpsíquico, mas não fecha as portas ao intrapsíquico, faces que são de uma mesma moeda. Como proposta vital, não poderia fazê-lo — e seria ingenuidade supor que o fizesse. Mas o faz diferente, trabalhando com a imaginação, não no sentido de mera invencionice, e sim como possibilidade de mudança do mundo, a partir do sujeito. Sua mensagem é clara: a força da imaginação é que torna as palavras irresistíveis e os gestos memoráveis. Dela nasce a ação cênica, em formas concretas e metafóricas, resultando a atitude criadora para a vida.

Entretanto, o psicodrama continua sendo uma provocação posta à nossa frente: disciplina árida, complexa e sem esperanças para alguns; exercício sensível, mágico e integrador para todos, quando todos se permitem ser dramaturgos, os diretores e atores criativos, os participantes. Na ânsia da aprovação acadêmica, temos tentado aproximá-los das psicanálises, o que nos leva à vertigem do gozo epistemofílico, à voragem das "escolas", mas com retorno certo e marcado à situação não menos abismal da realidade clínica, do sujeito presente, carne e osso, desejos e conflitos. Para profissionais cartesianos, exigentes da relação causa e efeito, sequiosos de explicação, o psicodrama é trêmula luz. Mas é vértice iluminado para artistas e para os que acreditam no lúdico, no imaginativo e na criatividade como maneira de integrar os mundos interno e externo de nossa alma.

No círculo das psicoterapias, o psicodrama criou vias diversas, da ordem da psicodramaturgia, nas quais por meio da ação estética, da criação dos jogos, se transita das percepções — primeiras e elementares — à catarse de integração — percepção total e télica —, compondo o universo simbólico da organização sociopsicológica. São estradas novas para o psicólogo, o educador e o médico.

Quis dizer tudo isso, que todos estão cansados de saber, para situar Sergio Perazzo e seu livro, pois o vejo como cavaleiro destemido, passando por essas veredas desafiantes de cabeça erguida, fronte altiva, sem complexo de colonizado. Partindo da experiência clínica, ele dialoga, escreve, medita e teoriza (teorizar é pensar a prática feita). E o faz com paixão. Dizia Kierkegaard: "O que falta à nossa época [1830] é a paixão sobre a matéria da reflexão". E um ponto chama a atenção no pensamento de Sergio: ele não se socorre de "autoridades" para respaldá-lo nas conclusões, nem ancora suas dúvidas em folhetins alheios. Faz formulações com base na vivência que lhe permite mostrar o muito de leite e mel a ser extraídos da pedra chamada psicodrama.

Seus textos, neste momento brasileiro do movimento psicodramático, catalisam a curiosidade, o afã de aprender, a sistematização de leituras, a elaboração de conceitos, enfim, a construção de um corpo de conhecimentos firme para a clareza das atividades. Na linha de produção dos vários capítulos, no "jogo da amarelinha", ele "mexe" com o que escreveram ou opinaram, de alguma forma, os colegas da área. Critica, valoriza, estimula, contesta, elogia, questiona com a melhor categoria intelectual. O capítulo sobre tele é exemplo da preocupação em examinar com minúcia as contradições de termos que se proponham dar conta de certa realidade.

Sergio Perazzo é incisivo ao postular que só mereça o título de psicodramatista "quem dramatiza sempre". Pegou-me de raspão. Mas, como no meu trabalho de viés analítico-existencial são tantas as inspirações buscadas na obra de Moreno, fingi não me servir a carapuça.

Achei excelente a seguinte colocação: "Cada novo paciente continua precisando da forma de ajuda que melhor sabemos dar, mesmo que para nós ela possa parecer repetitiva. Ser psicoterapeuta é um eterno recomeçar". Faço a citação não rente ao teor da página como jeito de reforçá-la, pois não se joga ao olvido tal lição, é conselho útil para jovens e comovente lembrança para os que vamos embranquecendo os cabelos.

Por fim, não posso deixar de destacar a erudição do autor em suas letras e a sensibilidade de sua pena, já de início expondo a conhecida veia poética na oferenda às musas de sua vida.

Deste livro que prefacio com satisfação pode-se dizer: é produto maduro, denso, crítico (no jargão filosófico); não é para iniciantes, não é para ser lido em diagonal; é para ser estudado e apreciado nos aspectos de sua radicalidade, para que se possa encontrar falhas e, assim, confirmá-lo com Popper.

Wilson Castello de Almeida

Introdução — Ainda psicodrama

PALHAÇOS TRISTES

Entre tantos significados de ainda — até agora, até o presente, até então, até lá, até, algum dia, novamente, mais, além disso, precisamente, afinal, mesmo, ao menos, ademais, nem mesmo — que dependem do verbo que se conjuga e da subordinação gramatical dos termos para se definir como advérbio de modo ou de tempo, escolho uma forma de permanência. Direis, talvez: "Ainda bem!"

Quem sabe, ainda, seja necessário afirmar que se permaneço insistente no cenário do psicodrama é porque ali encontro motivo e impulso para o desenvolvimento de minhas ideias, razão para o aperfeiçoamento e enriquecimento do meu trabalho e terreno para a expressão enxuta ou derramada dos sentimentos que envolvem o meu crescimento pessoal, em contraponto com os meus interlocutores, numa disposição compartilhada. Ou, quem sabe, poderia dizer que encontro ainda além de afirmar ainda?

"Não se esqueça do que um ser humano pode fazer você sentir", diz a mãe ao filho, num filme, ao notar que o menino se arrepia pela primeira vez ao ouvir um dó de peito de um tenor, cantando um trecho de ópera no rádio.[1]

É assim, na busca reveladora do arrepio, que redescubro na cena psicodramática a emoção de estar vivo, ao constatar ora a harmonia, ora a ausência de afinação com uma ordem desordenada de eventos a que chamamos de relacionamento humano.

Onde quer que estejamos presentes podemos nos dar conta, como o menino do filme, de tudo aquilo que eu e o outro, nós, somos capazes de sentir e de fazer sentir, nem que seja pela ausência ou pela distância, intencional ou inadvertidamente. Ainda, sempre ainda.

É nessa via de mão dupla, onde transitam o desejo, a fantasia e a imaginação, que o psicodrama define o seu objeto e dá sentido à sua razão de existir. É no acender e no apagar das luzes da ação dramática que nos vem a sensação de plenitude ou de falta que nos dá essa certeza.

Mas, cá entre nós, será que sabemos mesmo onde acontece o psicodrama? Onde Moreno se encontra e nos encontra? Será no relacional, no intrapsíquico ou em ambos? Na interpretação ou na ação como método? No ato ou no processo? No vínculo individual bipessoal ou no grupo? Na ciência ou na arte? Qualquer definição será suficientemente abrangente para uma obra aberta?

Francamente, não sei por onde começar: se pelos jardins de Viena, se pela poltrona vermelha, se pelo teatro de Jorge e Bárbara, se pelas adolescentes de Hudson, se pela associação de prostitutas. Novamente os olhos nos olhos? As palavras do Pai? Escolho o ensaio, a crítica ou a poesia? Será que começo citando a Regina Monteiro, que afirma que "se observarmos o comportamento das crianças durante seus jogos, ele nos confirmará a impressão de que elas têm uma crença absoluta na realidade do que escolhem para brincar", o jogo permitindo "ir a um mundo não real, ao mundo da imaginação"?[2] Ou me refiro à Camila Salles Gonçalves, que nos aponta que "a função primária da fantasia é a encenação do desejo" e que "a fantasia é a essência do teatro" e, portanto, "o conceito-chave da metodologia psicodramática"; e que "a fidelidade à intuição fundadora da metodologia psicodramática consiste na disposição para dramatizar sem saber"?[3] Ou ainda, por meio do "Psicossociodrama da Pietá"[4], de Naffah Neto, tento demonstrar a linha tênue que separa psicodrama de sociodrama, drama privado de drama coletivo?

Decido pelo cenário em que a cena se desenrola: um circo. E do circo, o palhaço no picadeiro e a criança na plateia.

Deformemos essa cena com os olhos opacos do adulto que, como um prisma às avessas, decompõe, descolorindo, o espectro das cores brilhantes de um arco-íris em luz branca e mortiça. Por ela passam vários palhaços tristes. Os diferentes arlequins pungentes de Picasso, sérios e desconsolados. A arlequina de Apollinaire tocada pela morte[5].

O palhaço agonizante de Henry Miller que só é feliz quando atrás da pintura é outra pessoa[6]. Os melancólicos palhaços fellinianos e bergmanianos como que arrastando a vida atrás de si. O trágico palhaço de Leoncavallo que soluça e canta uma ária de ópera. O palhaço tristonho do *Circo* de Sidney Miller, o palhaço charlatão que toda tarde de domingo chora, de Edu Lobo e Chico Buarque de Holanda; o de Egberto Gismonti, que, apesar de semeado de risos e gritinhos de crianças, nunca explode em gargalhada. E até Drummond, que em seu "A festa I – Carnaval de 1969" coloca "400 garis a postos para varrer o lixo da alegria".[7]

Diante de tudo isso, eu pergunto: qual é o palhaço mais verdadeiro, o das crianças, olhando o picadeiro e batendo palmas, ou o palhaço corrompido dos adultos, sempre à procura da espontaneidade perdida? O que nos resta é tão somente o palhaço do desejo? Onde está a criança? Seria essa a pergunta que no íntimo todos nós fazemos, percorrendo toda a gama de emoções entre a confidência saudosa e o grito angustiado? Onde está a nossa criança? Viva, morta ou simplesmente adormecida? Prevalece a nossa criatividade sobre as nossas idiossincrasias? O que nos fica de Van Gogh, seus girassóis ou sua orelha? *O alienista* ou a epilepsia de Machado de Assis? *O idiota* ou as crises convulsivas de Dostoievski? *O carnaval* de Schumann ou o carnaval de seus delírios e alucinações? Por que não subverter a astronomia e a teoria da relatividade e cantar como Lorca: "Os relógios têm a mesma cadência e as noites têm as mesmas estrelas"?[8] Assim mesmo suspenso no tempo, entre parênteses?

Cada um de nós, como Mário de Andrade, se tornou "trezentos". "Trezentos e cinquenta". Múltiplos papéis. Múltiplos papéis distanciados da criança original sob a ação paralisante de um mundo de relações cada vez mais complexas e intrincadas, tanto numa perspectiva individual ou coletiva quanto inter-relacional ou política. Mas, embora eu possa ser até trezentos e cinquenta, "um dia afinal eu toparei comigo"[9], como profetizou o pai de Macunaíma.

Anibal Mezher chega a afirmar que "'democracia' e 'saúde mental' são termos sinônimos e realidades interdependentes".[10]

Luiz Henrique Alves define o projeto moreniano como o "instrumento de intervenção nas várias estruturas sociais, em uma perspectiva em que o indivíduo é colocado simultaneamente como sujeito transformador e transformado, inserido nas relações sociais"[11].

E é o próprio Moreno quem nos diz:

> O mais antigo e mais numeroso proletariado da sociedade humana se compõe de vítimas de uma ordem mundial insuportável, não terapêutica; é o "proletariado terapêutico". Ele se compõe de pessoas que sofrem de uma outra forma de "miséria": miséria psíquica, miséria social, miséria econômica, miséria política, miséria racial ou miséria religiosa.[12]

É sem sombra de dúvida que Moreno se dirige a esse proletariado, para quem ele criou o psicodrama e em que, de alguma forma, cada ser humano se inclui, como eu e você. É a esse Moreno que agora pergunto: "Cá entre nós, Moreno, onde está ou onde ficou o meu palhaço? Onde quer que você esteja, devolva imediatamente, inteiro, alegre, sorridente e colorido, o meu palhaço perdido, o meu palhaço de dever e de direito."

UM LIVRO-AMARELINHA

Parte desses palhaços tristes recuperei, outro dia, numa velha pasta empoeirada e esquecida num canto. São palavras que nunca publiquei, mas que refletem o que eu entendo como a própria razão de existir do psicodrama: o resgate do ser humano criador e criatura por sobre as vicissitudes do que Moreno chamou de "proletariado terapêutico", capaz — até mesmo — de entristecer o sorriso do artista.

Assim como este texto, vários outros estavam dispersos aqui e acolá, em artigos isolados de revistas especializadas. Toda vez que alguém me solicitava a indicação de leitura, eu acabava ouvindo a reclamação posterior que definia como muito difícil ou impossível encontrar a fonte. Ora o número da revista estava esgotado e se perdera no tempo, ora não refletia mais, com exatidão, o que eu queria dizer sobre o assunto.

Surgiu assim a ideia deste livro e deparei, de repente, com a tarefa de escrevê-lo e de organizá-lo.

Metade dele é composto de escritos inéditos, recém-saídos do forno de minhas reflexões e de minha imaginação. A outra metade é um reaproveitamento de textos antigos. Alguns com poucos retoques. Outros quase totalmente reescritos e atualizados; estes me deram mais trabalho que os temas novos, chegando até, como no caso do capítulo sobre tele e transferência, a dobrar de volume. Mesmo entre esses trabalhos não inéditos, há alguns que, embora já tivessem sido apresentados uma única vez para um pequeno público, nunca tinham sido publicados e, portanto, são desconhecidos da maioria dos psicodramatistas. Por isso achei que valia a pena divulgá-los. Restou, então, a empreitada de dar sentido e unidade a esse conjunto de capítulos, de modo que se transformassem em um livro coerente. Isso se fez naturalmente e foi a razão pela qual deixei de fora outros artigos que, em meu entendimento, não teriam uma articulação harmônica com o mínimo denominador comum que perpassa as páginas que aqui ofereço ao leitor. Paciência! Quanto a esses outros, os de fora, ficam para uma próxima vez, condenados que estão, permanentemente ou por enquanto, à repetição xerox a xerox, versão moderna do boca a boca.

A organização natural deste livro não tem nada de misteriosa. Ela é apenas o resultado lógico da predominância de minhas preocupações teóricas nos últimos anos, no que diz respeito ao Psicodrama. Por isso o psicodrama ainda, voltado para o futuro.

O leitor perceberá com facilidade que uma das vertentes dessas preocupações é a própria direção que a teoria do psicodrama vem tomando e o questionamento de suas bases, questão que procuro levantar e discutir a partir desta Introdução, especificamente, no primeiro capítulo, que trata da história do seu desenvolvimento no Brasil, e no último, "Sempre psicodrama", não por acaso primeiro e último.

Quanto à segunda vertente, cabe de início um preâmbulo:

Gostaria, primeiro, de me situar diante do leitor, declarando que a minha visão, fundada na minha prática de médico psiquiatra e psicoterapeuta, acaba privilegiando — é a minha tendência natural

— a dimensão da psicoterapia psicodramática (há grande discussão se se trata de psicoterapia ou de terapia), que é a minha maior experiência no campo profissional, em que pese minha atuação como professor-supervisor, quando todos nós sabemos que o psicodrama é mais abrangente e a ultrapassa com a sua atuação pedagógica e comunitária. Minha postura como psicodramatista, meu estilo, meu arsenal técnico e a forma de manejá-lo receberam as influências decisivas, principalmente, de Miguel Perez Navarro, José de Souza Fonseca Filho e Dalmiro M. Bustos. As influências teóricas de autores psicodramatistas são muitas, facilmente reconhecíveis e reveladas nos parágrafos deste livro.

Essa colocação se faz necessária porque é justamente a área de atuação específica do psicodramatista que acaba por determinar a direção do seu desenvolvimento teórico. Todos nós acabamos por tentar incrementar um foco restrito do saber psicodramático, o que muitas vezes dá a impressão de grandes desencontros de linguagem, quando o que acontece mesmo é a falta de definição do patamar do qual se fala.

Assim, há quem desenvolva os fundamentos filosóficos do psicodrama. Outros, por sua vez, estão preocupados com a sua técnica ou com a sua metodologia. Outros ainda, em fixar as bases que sustentam a sua teoria ou até com o que as define. E assim por diante. Chegamos então à segunda vertente de minhas preocupações psicodramáticas e ao porquê de tê-las classificado como meu caminho natural.

Não há como negar, analisando o conteúdo de minhas colocações através dos anos, que sempre acabo voltando para o terreno que demarca a interseção entre o inter-relacional e o intrapsíquico, ponto esse de possibilidades fascinantes e alvo recorrente de discussões sem fim no meio psicodramático. Não é à toa que meus estudos procuram caracterizar melhor e articular entre si conceitos tão sutis quanto transferência, tele, empatia, contratransferência, complementaridade de papéis, papel imaginário, papel de fantasia, papel psicodramático, equivalentes transferenciais, campo sociométrico, projeto dramático manifesto, projeto dramático latente, vínculo residual e papel complementar interno patológico, para dar alguns exemplos, na tentativa de definir melhor os fenômenos que observamos gravitar nessa fronteira, que artificialmente delimita a atuação quer do psicodrama, quer da psicanálise. Meu esforço é o de ampliar essa compreensão por meio de um referencial psicodramático, sem fechar o inter-relacional e o intrapsíquico em compartimentos estanques e, portanto, incomunicáveis. Na verdade, a sua permeabilidade se presentifica pela construção e pelo desenvolvimento do conceito de papel, um dos pilares da teoria do psicodrama.

Assim, essa seria a diretriz e o ponto de contato entre os capítulos, que tratam de tele e transferência à subjetividade e aos êxitos e percalços da paixão. Em cada um deles, da introdução ao nono, eu trato especificamente de tais questões, às vezes usando um tema-locomotiva, ou discuto a própria teoria, ou preparo o caminho para um aprofundamento subsequente.

A forma como disponho os assuntos não impede que cada capítulo seja lido como algo independente, e aqui me inspiro em *O jogo da amarelinha*, de Júlio Cortázar[13].

Na introdução dessa obra, o grande escritor argentino sugere uma ordem para a leitura dos capítulos. No entanto, a sua construção cuidadosa permite a qualquer pessoa a leitura em qualquer outra direção, dando a sequência que quiser, pulando capítulos para diante ou voltando para trás, num movimento divertido. Daí o jogo da amarelinha.

Como Cortázar eu também sugiro uma ordem para os capítulos, que o leitor aceitará ou não, podendo brincar à vontade com eles — um livro-amarelinha.

Se observarmos bem, eles poderão ser lidos também aos pares ou em trincas: o segundo com o terceiro, que tratam, por exemplo da transferência do ponto de vista da teoria e o da técnica; o segundo com o sétimo, que nos reportam à visão psicodramática de vínculo, aos quais também pode se acrescentar o quinto; o quarto com o quinto, paixão com paixão; o sexto com o sétimo, que falam da subjetividade; a introdução, com o primeiro e o último, que discutem a teoria psicodramática; o sétimo com o oitavo e o nono, que articulam ideias sobre psicodrama e imaginação; o primeiro, que introduz o segundo e também faz dueto com ele; e assim, em diversas combinações, mais visíveis a partir da descoberta dos conteúdos de cada um, em que um representa um pequeno degrau teórico além do anterior e aquém do seguinte. Essa é a proposta que, de tão variada, facilmente pode lançar nossa imaginação no curso das combinações infinitas que o psicodrama nos proporciona e que por si só justificam — numa dimensão temporal — o porquê do "psicodrama ainda", com a promessa do "sempre".

1. O desenvolvimento da teoria do psicodrama no Brasil*

A José de Souza Fonseca Filho, que iniciou o movimento de organização e fundação da Federação Brasileira de Psicodrama (Febrap), sem o que certamente o processo de desenvolvimento teórico e prático do psicodrama brasileiro não teria ocorrido da forma tão ampla e produtiva como de fato aconteceu.

Herdamos, talvez de nossos antepassados lusitanos, o gosto de esperar por reis desaparecidos em remotas batalhas de nomes mouriscos. Uma espécie de sebastianismo, aguardando a ressurreição impossível de um herói morto que desate o nó de todos os nossos impasses e receios.

Outra perspectiva, no mínimo curiosa, muito nossa, é a da nossa ideia de inverno, que é — até hoje — a imagem europeia ou norte-americana de neve, gravada dentro de nós pelos cartões natalinos plenos de renas, chaminés e cachecóis, muito diverso, por exemplo, do úmido e quente "inverno" amazônico e de nosso insistente verde tropical de ano inteiro, que não é abalado nem pela presença das hortênsias queimadas pelas geadas dos campos do Sul.

Consequentemente, até mesmo nossa realidade climática parece ter de se ajustar colonizadamente a um modelo não brasileiro de alternância das quatro estações, como se desenvolvimento tecnológico, renda *per capita*, PIB e tempestade de neve fossem tudo a mesma coisa.

* O presente capítulo se refere à evolução da produção teórica brasileira de psicodrama até 1995. Depois disso, houve uma grande diversificação da produção psicodramática do Brasil.

Assim como os portugueses ficaram nostalgicamente imobilizados à espera de D. Sebastião, podemos, como psicodramatistas, a exemplo deles, compor outro fado pungente em torno do fantasma de Moreno, que também nos embale, conforte e paralise.

Podemos também voltar os olhos para todas as contribuições estrangeiras e seus modos de encarar e de praticar o psicodrama, numa nostalgia de neve, deixando de prestar atenção à especificidade brasileira de tratar e de desenvolver a sua teoria por caminhos polimorfos, como um "inverno" tropical de tons verdes, onde não há lugar para uma inveja equatorial.

Em outras palavras, esperar apenas que Moreno nos socorra em nossos titubeios e limitações ou deixar de valorizar o conjunto das contribuições brasileiras à teoria do psicodrama e esquecer-se de analisá-las é travar um processo de reflexão sobre nossa prática que tem se mostrado capaz de fornecer subsídios consistentes e importantes ao arcabouço teórico moreniano original, mesmo que não possa ainda dar conta de responder a todas as questões nascidas de nossas dúvidas.

A primeira colocação, portanto, é a que trata da fidelidade aos princípios básicos de Moreno sem imobilização. A segunda tenta traçar um percurso histórico da produção científica brasileira numa perspectiva crítica.

Uma das grandes dificuldades que nós, psicodramatistas, temos ao abordar questões pertinentes ao psicodrama é não nos ocorrer clarificar o patamar do qual se está falando, ou seja, o filosófico, o teórico ou o técnico. Santos[14], que eu saiba, foi o primeiro a apontar esse embaralhamento conceitual, responsável por discorrermos, por exemplo, sobre *encontro* (contido na filosofia do momento) quando desenvolvemos algum conceito teórico, ou sobre *tele* (conceito sociométrico) quando falamos de filosofia, e assim por diante. Ou, pior ainda, nesse exemplo, vincular o conceito de tele à noção de encontro, quando cada um dos termos se estabelece numa categoria diferente de estudo e apreciação.

Assim, ao nos reportarmos a Moreno, é necessário situar a que Moreno estamo-nos referindo, ou seja, se ao filósofo, se ao teórico ou se ao criador de um método de ação cuja técnica deriva do teatro. Parece evidente, pois, que apenas diferençar esses três Morenos já permite uma visualização em que a qualidade e a profundidade de cada um dos três, bem como suas suficiências e insuficiências, merecem um valor ponderal diferente.

Repassando a produção científica brasileira das últimas décadas, que cresceu sobremaneira nos últimos 20 anos, vale a pena destacar alguns de seus momentos mais significativos que nos permitam começar a situar a direção do pensamento psicodramático brasileiro.

A estreia do teatro terapêutico moreniano no Brasil aconteceu em fins dos anos 1960 e impressionou por sua força e por seus resultados. A técnica era a sua articulação mais visível.

Num momento em que nosso país vivia uma grande efervescência cultural, aliada a uma repressão política que reeditava os terrores do Estado Novo, uma alternativa para a elitizada psicanálise, alternativa esta que, além disso, estava estreitamente vinculada à arte e a seus processos criativos e, ainda por cima, privilegiava os fenômenos grupais — num momento em que a simples palavra "reunir" provocava o mal-estar próprio de quem podia ser vigiado ou denunciado —, o psicodrama só podia aparecer como um prato cheio oferecido de graça aos psiquiatras, psicólogos e educadores daquela época.

Por isso mesmo não é estranhável que um grande contingente de profissionais tenha se polarizado, logo de início, em torno de um movimento pioneiro de formação psicodramática, entre os quais se contavam respeitadíssimos professores universitários, psicoterapeutas bem estabelecidos e até chefes de serviço de psiquiatria e de psicologia, o que de pronto conferiu peso e respeitabilidade ao psicodrama em São Paulo.

Não foi à toa que, pela mesma razão, nesse momento o ensino teórico de psicodrama fosse costurado a contribuições da psicanálise, da antipsiquiatria, da etologia e da teoria da comunicação, o que sem dúvida continha uma função, talvez não bem percebida, de convalidar as ideias de Moreno, pouco sistematizadas, em um público de sólida formação teórica e, consequentemente, com elevado potencial crítico. Penso que começou aí a infidelidade brasileira a Moreno.

A teoria do núcleo do Eu de Rojas-Bermúdez[15], que orientou a formação daqueles primeiros psicodramatistas brasileiros, era apoiada no conceito de papéis psicossomáticos de Moreno e também na teoria da integração de áreas de Pichon-Rivière[16].

Havia em sua construção a preocupação evidente de elaborar uma teoria de desenvolvimento e uma psicopatologia que fornecessem subsídios claros para a instrumentalização da técnica psicodramática. Aquela teoria procurava suprir uma aparente lacuna deixada por Moreno, tentando estabelecer uma ponte entre o intrapsíquico e o inter-relacional por meio de uma compreensão da estrutura do eu que se articulasse com a noção de papel, que se acreditava se configurar como seu aspecto tangível e evidenciável nas relações humanas.

Curiosamente, ainda naquela época, a teoria do núcleo do Eu chegou a sobrepassar em importância na teoria psicodramática, as contribuições originais de seu próprio criador, ou seja, Moreno.

Após um congresso internacional de psicodrama, realizado no Museu de Arte de São Paulo (Masp) em 1970[17], que constituiu um divisor de águas do movimento psicodramático brasileiro, novas questões começaram a inquietar os psicodramatistas remanescentes.

Foi nesse momento que um grande número de profissionais abandonou a prática ou a formação de psicodrama e que uma cisão entre os que ficaram deu origem às duas primeiras sociedades de psicodrama de São Paulo. Então, por cerca de sete anos, o psicodrama brasileiro ficou cuidando da formação de novas turmas de psicodramatistas, com uma produção científica muito escassa.

Em meados da década de 1970, a vinda de Dalmiro Bustos ao Brasil provocou a elaboração de uma nova consciência crítica. Do ponto de vista da prática, Bustos introduz entre nós a etapa moreniana de compartilhamento ou *sharing*, em substituição ao que era até então chamado de "etapa de comentários", o que por si só revoluciona em seus fundamentos mais profundos a postura do psicodramatista diante do cliente. Revaloriza o método de ação, demonstrando suas possibilidades associativas numa marcha transferencial até uma ação reparatória. Até hoje esse procedimento sofre a crítica, por parte dos psicodramatistas brasileiros, de ter uma inspiração kleiniana mais que moreniana. Cria, entre nós, a utilização do psicodrama em atendimento individual bipessoal (sem ego-auxiliar) e individual pluripessoal (com ego-auxiliar), inaugurando uma proveitosa discussão, ainda inesgotada, sobre o lugar da teoria do psicodrama nesse atendimento, até então domínio predominante da psicanálise. O psicodrama daria conta de uma teoria dos fenômenos intrapsíquicos? Foi aí que se originou essa pergunta.

Bustos passa a caracterizar seu trabalho como psicoterapia psicodramática, obrigando a uma revisão do termo psicodrama, e, finalmente, no que diz respeito a essas contribuições principais, situa a sociometria como ponto central da teoria psicodramática, desde que articulada às suas outras vertentes, como a teoria de papéis. Recupera, pois, a noção e a importância da socionomia e de seus ramos.

O resultado imediato dessa nova influência sobre os psicodramatistas brasileiros, do ponto de vista teórico, foi o surgimento de uma importante corrente de pensamento que passou a questionar a teoria do núcleo do Eu e a desfocá-la de um lugar central na teoria do psicodrama. Radicalizaram-se posições nos dois lados, defensores e opositores de um ou de outro modo de ver as coisas. Acenderam-se e reacenderam-se paixões nitidamente enviesadas com questões pessoais, ainda decorrentes das cisões resultantes do congresso de 1970, a que, tornadas cenas, assistiríamos e de que participaríamos em confrontos inesquecíveis de ordem intelectual ou de ordem pessoal, quer pelo brilhantismo, quer pelo sofrimento, pelo desgaste ou pelo constrangimento, em congressos futuros.

A realização, em 1977, de um congresso de psiquiatria e higiene mental, em Curitiba, marcou em definitivo o rumo do psicodrama brasileiro. Para isso concorreu decisivamente a sua organização científica, da qual participaram psicodramatistas do Paraná, que faziam sua formação específica em psicodrama com alguns dos pioneiros de São Paulo, os quais se deslocavam mensalmente para aquela cidade.

Nesse congresso, o psicodrama ressurgiu com peso e com a reconquista de uma respeitabilidade em diversas vivências, mesas-redondas e temas livres apresentados, criando entre os psicodramatistas da nova geração, que se formaram ou que se formavam nos anos 1970, em diversas cidades brasileiras, não só a oportunidade de se conhecerem e de se encontrarem pela primeira vez como também a necessidade de um fórum e de um veículo que permitissem a troca e a propagação do pensamento psicodramático, o que era referendado entusiasmadamente pelos mais velhos. O resultado disso tudo foi a criação da Federação Brasileira de Psicodrama (Febrap), a realização do 1º Congresso Brasileiro de Psicodrama e a publicação do primeiro número da *Revista da Febrap*, no ano seguinte. A partir daí, a produção científica brasileira de psicodrama não mais se deteve, impulsionada que foi por tais necessidades e pela restauração do orgulho de ser psicodramatista.

Uma explosão de contribuições brasileiras ao psicodrama começou então a acontecer.

Em 1977, Souza Leite, em artigo pouco conhecido ou lembrado[18], sistematiza as primeiras críticas à teoria do núcleo do Eu, sem deixar de assinalar seus pontos positivos. É ele quem nota a semelhança de áreas de Rojas-Bermúdez com a de Pichon-Rivière, já citada, criticando a minimização do conteúdo das palavras e de seu valor simbólico no que diz respeito à estruturação do sujeito — e já esboçando um visto de saída em seu passaporte para terras lacanianas.

Campedelli, em monografia não publicada[19], inaugura a discussão sobre atendimento psicodramático individual bipessoal, colocando e justificando no papel a prática trazida por Bustos, tema retomado mais tarde por Nabholtz *et al.*[20] com a análise do protocolo de Moreno sobre o caso do Senhor Rath. Já mencionamos as implicações conceituais que disso decorreram.

Antonio Carlos Eva[21] começa a estabelecer a diferença de funcionamento e de fundamentação entre grupos terapêuticos psicodramáticos e grupos terapêuticos psicanalíticos, obrigando o psicodramatista não só a considerar um processo grupal, diferentemente do ato psicodramático moreniano, como também a levar em conta leis próprias do psicodrama na maneira de encará-lo e de manejá-lo.

Entre 1979 e 1980, respectivamente, são publicados dois livros que marcam a nova direção da evolução da teoria do psicodrama no Brasil, indispensáveis para se compreender o que se seguiu depois: *Psicodrama: descolonizando o imaginário*, de Alfredo Naffah Neto[22], e *Psicodrama da loucura*, de José de Souza Fonseca Filho[23].

Com seu livro, Naffah Neto nos obriga à retomada de Moreno com uma profunda revisão crítica da teoria da espontaneidade--criatividade, da teoria de papéis e de seu projeto socionômico, criando conceitos originais e, a meu ver, fundamentais, preenchedores de lacunas teóricas, de que é exemplo papel imaginário como categoria nova, diferenciado de papel psicodramático. As redefinições de Naffah Neto são decisivas como caracterização clara de elementos da teoria psicodramática, que até aqui eram colhidos dispersamente na obra de Moreno em definições esparsas no tempo e incompletas no conteúdo e na forma. Esse trabalho de Naffah Neto, diga-se de passagem, não encontra precedentes na literatura psicodramática internacional de todos os tempos, até onde foi possível pesquisar. Para mim, esse é o valor maior de sua contribuição, muito mais do que uma leitura do psicodrama a partir do materialismo dialético, que o próprio autor considera não mais fazer parte do seu trabalho atual.

Já nesse livro começamos a encontrar as primeiras críticas ao conceito de papel psicossomático, à tentativa de teorização de uma psicopatologia a partir da teoria do núcleo do Eu, por demais calcada em mecanismos fisiológicos e estruturas genéticas — um afinamento com Bustos nessa visão, embora nesta época Naffah Neto considere esse autor reticente em endossar conceitos de diagnóstico psiquiátrico, doença mental e psicopatologia em psicodrama.

Ainda em *Descolonizando*, Naffah Neto destaca a etapa do reconhecimento do eu e do outro como a do domínio simbólico do ser social. Encontramos também ali as primeiras referências brasileiras a Rocheblave-Spenlé[24], socióloga francesa que sistematizou crítica e brilhantemente a teoria de papéis.

No mesmo ano, entre a publicação de Naffah Neto e a de Fonseca Filho, Zerka Moreno nos visitou e publicamente nos disse que faltou a Moreno a perspectiva de passado, demonstrando sua crítica com seu trabalho prático, referendando assim os subsídios teóricos e a forma de dramatizar introduzida entre nós por Bustos. O livro de Fonseca Filho, publicado no ano seguinte, cria uma nova teoria de desenvolvimento e uma psicopatologia psicodramática a partir da ampliação das fases e da compreensão da matriz de identidade, o que passou a ser conhecido entre nós como teoria da matriz de identidade.

Mais uma vez torno a dizer que Fonseca Filho foi o protagonista da insatisfação de boa parte dos psicodramatistas brasileiros com a teoria do núcleo do Eu, mas ainda inseguros quanto a sistematizar melhor os postulados morenianos.

Ainda em 1980, Mezher publica um artigo[25], não suficientemente valorizado naquele momento, criticando o conceito de papel psicossomático com base nas ideias de Rocheblave-Spenlé e propondo sua substituição por zonas corporais em interação, tema que eu próprio retomei nos anos subsequentes tentando aprofundá-lo.

Tanto o livro de Fonseca Filho como o artigo de Mezher e as ideias de Naffah Neto forneceram a base teórica que faltava para que aqueles psicodramatistas insatisfeitos com o arcabouço teórico até então existente abandonassem definitivamente a teoria do núcleo do Eu. Iniciou-se, então, um período de novo deslocamento da teoria do psicodrama para a teoria da matriz de identidade, como se esta fosse o seu foco principal, repetindo o mesmo fenômeno ocorrido com a teoria do núcleo do Eu. Por vários anos a teoria do psicodrama quase foi reduzida a um processamento via teoria da matriz de identidade. Provas disso são o grande número de trabalhos publicados por psicodramatistas brasileiros tratando do assunto e o destaque que lhe era dado nos mais diversos cursos de formação de psicodrama, o que lhe conferia uma valorização excessiva.

Talvez por isso, o livro de Wilson Castello de Almeida, *Psicoterapia aberta: o método do psicodrama*[26], de 1982, não tenha recebido toda a atenção que merecia. Nele, o autor defende a classificação do "método do psicodrama como método fenomenológico-existencial, compreensivo, que por isso mesmo lhe permite ser psicoterapia aberta" (p. 9) — ou seja, comportando várias leituras, o que poderia explicar tanta divergência de visões e de opiniões dentro da teoria do psicodrama. Talvez, se tivéssemos refletido mais sobre as ideias por ele levantadas, nos teríamos permitido mais e melhor uma abrangência de visão que iluminasse pontos obscuros da teoria psicodramática, sem setorizá-la tão intensamente ou sem tanta radicalização.

Os anos 1980 foram palco de uma grande produção científica do psicodrama brasileiro, a qual se deu pelos caminhos mais diversos, embora a maioria das contribuições apontasse para a descrição técnica e para um detalhamento teórico que não integrava entre si os pilares fundamentais da teoria do psicodrama, dos quais tratarei mais adiante.

Nesses anos, Aguiar e Volpe, com *Teatro da anarquia*[27] e *Édipo: psicodrama do destino*[28], respectivamente, recuperam a noção de psicodrama como teatro terapêutico, por sua vez derivado do teatro espontâneo/teatro tradicional/teatro grego, com sua força social e catártica — o que provavelmente serviu mais tarde a Alves[29] para caracterizar melhor o conceito de protagonista, diferenciando-o de emergente grupal. Nos três autores está presente a definição e o lugar do drama e da trama oculta.

É ainda Aguiar que nos ensina, por meio da revisão de tele, que foi estudada anteriormente por Manoel Dias Reis[30], a situar historicamente as definições de Moreno que se repetem e se modificam em sua obra, numa análise profunda e objetiva que nos coloca frente a frente com as suficiências e com as lacunas ainda não preenchidas do psicodrama. Introduz novas pontuações teóricas, tais como vínculos atuais, residuais e virtuais, projeto dramático e a reformulação das noções de tele e de transferência, só para dar alguns exemplos.

Aguiar é quem primeiro observa a escassez de referências à matriz de identidade na obra de Moreno, o que acaba me levando a ampliar o tema, procurando demonstrar com a análise da obra de Moreno, respaldado por Garrido-Martín[31], que a matriz de identidade não é uma constante na teoria moreniana. Não passando de poucos parágrafos num capítulo sobre espontaneidade, não poderia se tornar o núcleo teórico principal do psicodrama, que seria, isso sim, constituído pela articulação entre sociometria, teoria de papéis e teoria da espontaneidade-criatividade.

Aguiar e eu temos em comum também, além de novas discussões sobre tele e transferência, a posição de defender a inexistência de uma teoria de desenvolvimento e de personalidade e de uma psicopatologia na obra de Moreno, como intencional e coerente com o fato de o psicodrama voltar-se para a esfera inter-relacional. No meu entendimento, o contato com os fenômenos intrapsíquicos é dado por intermédio dos papéis, que, segundo Rocheblave-Spenlé, mantêm uma correlação íntima e indireta com a personalidade. Naffah Neto, no ensaio "Os papéis e os corpos"[32], num momento em que se declara fortemente influenciado por Nietzsche, Deleuze e Guattari, diz que "os conceitos psicodramáticos necessitam de, pelo menos, dois eixos teóricos para a sua definição: uma *topologia das superfícies*, articulada, por sua vez, a uma *dinâmica dos fluxos*" (p. 104) – as superfícies significando os contornos dos corpos e suas marcas e os fluxos, o próprio ser e seus movimentos existenciais.

Muitos são, portanto, os caminhos de investigação que opõem ou aproximam ato de processo, grupo de indivíduo, inter-relacional de intrapsíquico. Ora se busca no próprio Moreno o desenvolvimento crítico da teoria do psicodrama, ora se cria uma teoria nuclear do psicodrama afastada das constantes morenianas, ora se tenta preencher as lacunas com a psicanálise, ora se abstrai o conteúdo simbólico para examinar a estrutura relacional por meio da teoria da comunicação, deixando de lado a sociometria ou inspirando-se na teoria sistêmica, muito utilizada no psicodrama espanhol ou alemão da atualidade.[33]

Outras vezes, a tendência é discorrer sobre temas gerais de psicoterapia, nos quais pouco ou quase nada se encontra de teoria de psicodrama, o que na verdade reflete as angústias próprias das dificuldades da prática diária e da condição às vezes solitária do papel de terapeuta, de professor ou de supervisor. Nem sempre se discrimina que nem tudo que um psicodramatista escreve se refere exclusivamente à teoria do psicodrama.

O psicodrama com crianças muitas vezes não passa de ludoterapia com olhos de rímel psicodramático maldisfarçados, a utilizar um arsenal de brinquedos em vez do arsenal teórico do psicodrama, como tão bem assinalou, em comunicação pessoal, Vera Cecília Motta Pereira.

Camila Salles Gonçalves[34,35] é quem tem remarcado nesse terreno o lugar da fantasia no psicodrama.

O psicodrama com adolescentes em geral se volta apenas para a compreensão geral da adolescência mais do que para a teoria do psicodrama aplicada ao adolescente. Quem sabe deveria começar como Maria Alice Romana[36], tentando compreender e recuperar o Moreno adolescente, assim como Wolff[37] nos recuperou a sua maneira de novamente sonhar?

Certo dia ouvi de um psicodramatista a seguinte pergunta: "Como se trabalha com neopsicodrama?", numa referência clara ao artigo de Fonseca Filho, publicado havia pouco tempo, denominado "Psicodrama ou neopsicodrama?"[38] Essa pergunta reflete bem a ansiedade de incorporação de novas técnicas sem exame de conteúdo. Ora, respeitemos o Fonseca, não colocando em sua boca palavras que não disse e intenções que não teve. O termo "neopsicodrama", criado por ele, serviu para caracterizar o período atual do desenvolvimento do psicodrama e não determinada corrente, ponto de vista ou modo de fazer. É uma caracterização histórica semelhante àquela que batiza períodos da arte com nomes tais como neoclássico ou pós-moderno. Aliás, todo psicodrama brasileiro pode ser considerado inserido nesse período, chamado por Fonseca de neopsicodrama, por não ser mais puramente moreniano. Vejam nesse episódio a possibilidade de deformação de um conceito, bastando para isso sua propagação sociométrica assimilada sem crítica.

A propósito do tema, correu entre nós, no início da década de 1990, certa maledicência acerca de Moreno, tempo em que nos foi apresentada a sua mais completa biografia, pelo canadense René Marineau[39].

Se por um lado é fundamental que se reduza Moreno a meras proporções humanas com seus acertos e erros, genialidades e mediocridades, o que representa em si só um amadurecimento do movimento psicodramático, não há por que, em virtude disso, minimizar a importância de suas contribuições teóricas, mesmo com lacunas, o que nem mesmo o seu incansável biógrafo se propõe uma única vez.

Em socorro de Moreno diga-se o seguinte, pela voz de Marineau:

> Mesmo para um biógrafo, ele [Moreno] não pode ser abordado segundo as normas habituais da descrição e da interpretação do comportamento humano. Tomemos, por exemplo, a noção de verdade em Moreno. Definindo ele mesmo a terapia como a arte da verdade, ele dá entretanto a essa última uma definição que não se superpõe em nada à da verdade histórica. Com efeito, Moreno valoriza em cada um, começando por ele próprio, a expressão da verdade dita psicodramática e poética: ele entende por isto essa forma de verdade subjetiva em que a pessoa coloca em evidência suas próprias forças criadoras apelando não somente para o real imediato, mas para um real que capitaliza um movimento de "engordar" a realidade: a realidade suplementar. Disso resulta uma verdade que não faz sentido a não ser no universo moreniano ou entre aqueles que aceitam sua maneira de ver as pessoas e as coisas. Trata-se de uma verdade que dá lugar ao cotidiano, às alegrias e aos sofrimentos da vida, sem esquecer o papel que podem fazer o imaginário e a subjetividade na determinação do melhor vir a ser individual. Para os outros, para quem a definição da verdade recupera o fato histórico, a verdade moreniana é percebida como um agregado de mitos, mentiras ou exageros. É assim que, para muitos, Moreno não é digno de crédito nem enquanto vivo nem depois. E, no entanto, não há mistérios na verdade de Moreno. Ele explica a si mesmo dessa forma no artigo "A primeira família psicodramática" quando distingue a verdade histórica da verdade poética e psicodramática. Mas é preciso "ler" Moreno no interior do seu referencial epistemológico. Então, tudo se aclara e se compreende.[40]

Marineau, ainda explicando a verdade psicodramática e poética, diz:

> Uma verdade que se apoia nos "limites da realidade" e se coloca em plena luz e no centro dos acontecimentos. Moreno acreditava que uma vida plena e satisfatória deve se apoiar numa interpretação subjetiva, desejada e consciente, em que cada um pode desempenhar o papel de Deus [...] Moreno acreditava que uma das consequências da espontaneidade e da criatividade é o desenvolvimento de uma pessoa que é mais do

que ela vê de si mesma, ou do que os outros podem captar dela: cada um pode, portanto, dar livre curso a certa forma de "megalomania normal", desde que isso o torne atento ao encontro com o outro.[41]

Pedro Mascarenhas, por ocasião de um debate, disse que nós, psicodramatistas, não conseguimos nos entender quando falamos da teoria e que o verdadeiro entendimento só acontece na prática das dramatizações, em que indiscutivelmente cada um se reconhece e ao outro como tais. Isto é, como psicodramatistas.

Pegando o bonde do Pedro pelo estribo, poderíamos dizer que o psicodrama cativa e encanta acima das palavras e das explicações quando nos envolve e nos une com a força quase hipnótica de sua dramaturgia, como o toque final do coelho na cartola de um mágico demiurgo.

O psicodrama como teatro, como qualquer arte, é um pálido — por limitado, e brilhante, por intenso — reflexo da condição humana, via de acesso de emoções, sentimentos e sensações. A ciência veio depois e nos tornou psicodramatistas, esquecendo-se de nos referendar como psicodramaturgos, termo com que Aguiar nos rebatizou.

E, segundo esse modo de ver as coisas, o psicodramatista ou o psicodramaturgo só pode ser um artista itinerante, talvez cigano, um tanto mambembe e quem sabe louco, que leva em uma carroça as suas fantasias de pano, de papelão ou de lata, num velho baú de dobradiças emperradas, à espera de libertar seus sonhos aprisionados à margem das imposições da cultura e sem nenhum compromisso com a banalidade. A falta de um veículo que sirva para expressá-los em tinta, tela, fotograma, máscara, acorde ou estrofe, sejam eles ao menos pipetados de um Erlenmeyer ou socados num cadinho, no mármore dos laboratórios, medidos talvez em simples amperímetros ou revolvidos em sua essência nas malhas complexas de um acelerador nuclear. Certamente é essa a encruzilhada inevitável que o psicodrama propõe para o encontro entre ciência e arte.

2. Tele e transferência: nova revisão crítica

Encontramos no relatório de um dos grupos que discutiu a "Importância do predomínio da teoria moreniana no curso de formação psicodramática" no 1º Encontro Nacional de Professores e Supervisores de Psicodrama, realizado em Brasília em setembro de 1987[42], a seguinte afirmativa: "Os conceitos fundamentais de Moreno são: tele, teoria do papel e espontaneidade".

Diante de tal convicção de, pelo menos, uma parte daqueles que ensinam psicodrama no Brasil, não há como negar a necessidade de fundamentação teórica sólida do conceito tele. No entanto, é literalmente espantosa a contradição existente entre a complexidade do tema, sobre o qual é aparente a unanimidade de definição, tão pronunciado que é seu "santo nome em vão", e a escassez de literatura a respeito do assunto no meio brasileiro.

Ouvimos, com lamentável frequência, tele utilizado como jargão, sem nenhum cuidado com um sentido preciso, como o: "Tenho uma tele ótima", "A minha relação com Fulano é télica", "Beltrano tem uma percepção télica de Sicrano ou de dada situação" etc. A impressão que se tem é de que tele é um conceito de fácil apreensão e não controverso, com o qual todos nós estamos bem familiarizados.

Essa forma de tratarmos um dos esteios da teoria psicodramática está em franco desacordo com a análise mais superficial que possamos fazer da literatura especializada, numa primeira vista. Encontraremos com facilidade tele conceituada como fator, como ramo, até como ramo da própria tele, como relação, como efeito, como capacidade, como sistema, como sensibilidade — definições estas perdidas num cipoal de termos, tais como: tele, fator tele, ramo tele, telerrelação, efeito tele, capacidade télica, relação télica, percepção télica, sensibilidade tele, sistema tele, antitele, não tele, tele para objetos, tele para animais, tele positiva, tele negativa, infratele, tele-estrutura, autotele, aristotele, distelesia. Longe está, obviamente, de uma fácil compreensão.

Tendo em vista a dificuldade de um melhor entendimento do conceito, e talvez por isso mesmo, é quase inacreditável que se encontrem escritos no Brasil apenas três trabalhos especificamente sobre o assunto, aliás obrigatórios: o de Luiz Antônio de Paiva[43], publicado em 1980; o de Moysés Aguiar, apresentado no 5º Congresso Brasileiro de Psicodrama (1986)[44], posteriormente incluído como capítulo em um de seus livros; e o de Manoel Dias Reis[45], uma monografia sobre tele incompreensivelmente nunca publicada e apresentada no mesmo ano (1986).

A maioria dos autores discute pouco o conceito de tele, quer definindo ligeiramente o que Moreno teria querido dizer quando criou o termo, escolhendo uma das suas diversas definições, quer evitando habilmente o tema, que de maneira geral até hoje permanece confuso na cabeça dos psicodramatistas. Garrido-Martin é um dos poucos a fugir desta regra, dedicando todo um capítulo de um livro ao fator tele.

Entre nós, Paiva, no mencionado artigo sobre tele, empatia e transferência, reproduz algumas das definições clássicas de tais conceitos, sem conseguir, porém, escapar da armadilha moreniana da parcialização conceitual, ora definindo tele como "o sentimento mútuo surgido em duas ou mais pessoas, provocado pelos atributos reais delas", ora mais adiante, no mesmo trabalho, como uma "percepção real do outro"[46]. Essa contradição, a meu ver, é apenas um pálido reflexo de como a imprecisão das formulações morenianas sobre tele atinge não só a comunicação de Paiva como todas as nossas reflexões sobre o conceito e suas aplicações práticas.

Retomando a linha pioneira de Paiva, Aguiar e Reis refletem separada e simultaneamente sobre a questão. De um lado, Reis analisa as diversas formas utilizadas por Moreno para definir tele e delas extrai suas principais características e uma nova definição, tentando elucidar o modo moreniano de compreender as relações interpessoais.

Aguiar, por sua vez, em dois trabalhos escritos e apresentados separadamente na mesma ocasião e posteriormente reunidos como partes de um mesmo livro, inaugura brilhantemente, tanto quanto Reis, o caminho de elucidação dessa charada teórica, em sério trabalho de pesquisa que nos permite acompanhar não só a evolução da definição de tele na obra moreniana, muito bem situada historicamente, como também a tendência seguida até hoje pelos diversos autores pós-morenianos quanto à caracterização do conceito. Não falta no trabalho de Aguiar uma análise crítica profunda e estimulante dos conceitos tele e transferência, que constitui em si mesma um marco de fundamental importância para a teoria do psicodrama, sem nenhum exagero.

Hoje parece claro para mim que tele ora é definida como um fator, à semelhança do fator "e" (espontaneidade) que, próprio do indivíduo, é capaz de atuar em dado momento em dada relação, sendo responsável pela força de coesão de um grupo ou pela estabilidade dessa mesma relação, ora como um canal de comunicação e expressão desobstruído de transferências e que viabiliza o encontro. Simplificadamente, o conceito se desloca entre esses dois polos sem se definir claramente por nenhum — e chegamos a encontrar o segundo como fazendo parte do primeiro.

No livro *Nuevos rumbos en psicoterapía psicodramática*, de 1985, Bustos diz que "todo o vínculo está dinamicamente estruturado pelo denominado *fator tele*. Denomina-se *tele* todas as transações que ocorrem entre pessoas. O fator tele tem dois ramos — um também chamado de *tele*, que assegura o encontro e implica a correta percepção recíproca; o outro é a distorção da percepção e se denomina *transferência*".

Essa afirmação nos coloca diante de um fenômeno teórico em que a parte e o todo são definidos com a mesma palavra. É como se déssemos ao braço o nome de corpo e cada vez que ouvíssemos falar em corpo tivéssemos de fazer uma ginástica mental para entender que a palavra em questão se referia a corpo propriamente dito ou ao seu segmento (como se fosse o corpo do corpo), isto é, braço. Na verdade, uma confusão conceitual inteiramente desnecessária, que aqui ressalto apenas como exemplo de quanto temos nos deixado contaminar pela ilusão de unanimidade que cerca a caracterização de tele.

Porém, é o próprio Bustos que corrige essa distorção de definição na tradução brasileira desse mesmo livro — *Novos rumos em psicodrama*[47] —, de 1992, suprimindo de suas páginas aquela classificação, pela qual foi responsável o próprio Moreno. Na versão brasileira, Bustos faz uma introdução à teoria psicodramática e se limita a situar tele dentro de uma proposta moreniana de configurar com tal conceito "todas as operações de um vínculo em ambas as direções", sua dimensão mais global. Não deixa de sublinhar a sua pertinência sociométrica, base das atrações, rejeições e indiferenças presentes em qualquer vínculo. É ele ainda que nos adverte para a confusão que se faz entre os aspectos gratificantes da transferência e tele.

Aguiar demonstra que entre a primeira referência de Moreno ao fenômeno que ele veio caracterizar como tele, datada de 1923, e suas formulações de 1959 sobre o mesmo termo há uma considerável distância percorrida.

Nesse espaço de 36 anos, Moreno parece apreender, em cada momento, uma parcela de um fenômeno relacional, primeiro intuído e depois observado e estudado por ele, até com tentativas de quantificação e de demonstração gráfica que conferissem respeitabilidade às suas palavras — de uma forma que se convencionava como científica, mas cuja abrangência acabava por deixar sempre alguma coisa inexplicada ou fora de lugar. Se a definição de tele tinha de conter em si mesma os conceitos de encontro, de inter-relação, de transferência, daquilo que os psicanalistas denominavam contratransferência, de percepção, de sentimento, de papel, de ato-ação, entre tantas outras variáveis, é perfeitamente compreensível uma tarefa de vida inteira e naturalmente aberta à continuidade *por* e *para* seus discípulos. Seria extremamente injusto atribuir a Moreno qualificativos superficiais, tais como "confuso", "mau teórico" etc., só porque não nos foi possível compreender que ele era gerúndio, criando em cima da conserva cultural anterior mesmo que tivesse de desfazê-la ou inviabilizá-la. Era enquanto fazendo. Era enquanto ação, enquanto movimento. Portanto, acompanhar

Moreno em suas idas e vindas através do tempo, definindo e redefinindo tele, é acompanhar a trajetória fascinante de suas ideias, do acúmulo progressivo de sua experiência e capacidade de observação, da sua transformação como pessoa e como primeiro psicodramatista que foi. É percorrer, enfim, a própria história do psicodrama, sem cuja incorporação nenhuma fluência se acrescentará ao binômio teoria-prática, com resultados criativos para o papel profissional que nos propomos desenvolver e realizar.

Só para se ter uma ideia das dificuldades que Moreno encontrou para transmitir o que entendia e o que passou a entender como tele, resumirei ligeiramente a evolução do seu pensamento, descrito, compreendido e comentado por Aguiar, procurando não somente não repeti-lo ou copiá-lo como também não reduzir a uma meia dúzia de frases o seu estudo tão profundo, tão complexo e ao mesmo tempo tão claro e tão bem elaborado, já que minha linha de raciocínio se estende em uma direção complementar sem que lhe seja exatamente superponível.

Aguiar aponta que a primeira referência de Moreno ao fenômeno se deu a partir de observações de teatro espontâneo, em que alguma sensibilidade especial entre determinados atores acontecia e permitia uma comunicação mais clara e uma percepção mais ampla entre eles. Era algo referido ao plano individual que extravasava para o relacional.

Mais tarde, ele começa a se preocupar com uma melhor caracterização do que passa a chamar de tele, apresentando-a como resultado da medida dos testes sociométricos, levantando a hipótese da sua relação com espontaneidade e criatividade. Um passo adiante faz que ele correlacione tele com a "percepção que os indivíduos têm de sua própria posição sociométrica"[48], e admite a maior dificuldade em pesquisá-la, em contraposição com a caracterização mais fácil de átomos sociais. Moreno fala aqui de tele entre dois indivíduos e de átomo social composto de um grande número de estruturas tele.

Ainda tomando o estudo de Aguiar como roteiro, podemos deduzir que Moreno começa a se preocupar em situar tele como algo que existe em dado momento, enquanto acontecendo numa relação, remetendo-nos obrigatoriamente para uma noção social e não individual, de modo que, nesse ponto, "se deveria considerar tele uma noção social, enquanto que transferência e empatia seriam emoções individualizadas. Ainda assim, o tele não teria existência própria, constituindo-se antes numa abstração destinada a descrever um processo interno dos átomos e das redes sociais"[49].

Por fim, numa sequência através do tempo, tele vai sendo caracterizada progressivamente como um fator "responsável pelo controle da área que se situa entre os organismos" e que "opera em toda a estrutura social, mas recebe a influência do fator 'e' para aumentar ou diminuir seu alcance"[50]; como fator dependente do potencial individual; como mútua percepção íntima dos indivíduos, não sendo excluída a possibilidade de um componente também intrapsíquico; como vínculo; como mutualidade mais uma vez; como processo interpessoal geral; como sentimento e conhecimento da situação real de outras pessoas. Eis o que muito sucintamente Aguiar pontua sobre a trilha traçada por Moreno para transmitir a sua compreensão de tele.

Reis, por sua vez, em sua monografia, praticamente uma tese, também faz uma análise crítica igualmente abrangente do conceito tele.

Ele identifica o trabalho de Moreno, em 1919, com refugiados tiroleses, como o germe embrionário da sociometria e, portanto, de tele. Moreno, já nessa época, reconhecia a simpatia e a antipatia entre os membros daquele grupo como capazes de agir sobre a coesão grupal, embora não tenha sistematizado, então, suas observações. Reis também analisa várias definições de tele no correr da obra de Moreno e, pelos dados colhidos, nos apresenta quatro pontos básicos nos quais o conceito se sustenta: o biológico, o social, o terapêutico e o sociométrico, vinculados intimamente aos também quatro componentes de sua constituição, ou seja, projeção (emissão), trejeção (percepção), o aspecto afetivo e o conhecimento (o conhecer intuitivo e não o intelectual).[51] O autor ressalta ainda o emprego de tele por Moreno geralmente no feminino (a tele), contrariamente a Aguiar, que utiliza o masculino (o tele), no sentido de fator tele, como seus textos sugerem.

Tomemos agora o próprio Moreno diretamente, continuando sob uma pequena variação da perspectiva até então esboçada.

Em *Fundamentos de la sociometria*[52], Moreno nos fala de tele como uma força de coesão da integração entre pacientes e terapeutas (não se refere aqui exclusivamente a psicoterapeutas), responsável pelo êxito do psicodrama terapêutico. Entretanto, no mesmo livro, ele caracteriza tele como um fator que sofre influência do desenvolvimento humano, de início indiferenciado e que gradualmente vai se separando, na criança, em tele para objetos e tele para pessoas, em tele positiva e tele negativa, e em tele para objetos reais e para objetos imaginários. Moreno parece considerar, nesse ponto de sua obra, tele como um atributo individual perceptivo e, à semelhança do fator "e", não escapa à tentação da correlação fisiológica, o que fica muito claro em outro livro, quando afirma que tele aparece em toda classe de comunicação, dizendo textualmente: "Na base de todas as interações sociais e psicológicas entre os indivíduos deveriam existir — e existem de fato — pelo menos dois órgãos fisiológicos complementares que atuam de maneira recíproca"[53].

Quando exprime a convicção de que tele serve para expressar a menor unidade de sentimento de um indivíduo para outro, não escapa à noção de parcialidade na comunicação.

E ainda: "Um tele pode cruzar-se com outro; disso resulta um par de relações"; "tele não tem existência social própria"; e, referindo-se ao resultado de um teste sociométrico, considerando uma tele específica para cada pessoa envolvida no teste, ou seja, várias teles individuais: "Pelo contrário, outra pessoa só pode exercer uma influência mínima pelo fato de suas teles só as ligarem a indivíduos relativamente isolados"[54]. Logo, tele poderia existir sem reciprocidade e, embora Moreno afirme que tele não tem existência social própria, a sua legitimidade só se dá na inter-relação.

Em outros momentos de sua vida, Moreno caracteriza tele como sensor, como perceptual, admite transformação de tele em conduta transferencial, considera tele indispensável para escolhas apropriadas e como unidade de processo interativo, como atuando desde um primeiro encontro entre membros de um grupo, como passível de se fortalecer com o passar da idade de um indivíduo e até como dupla empatia, apesar de já ter caracterizado empatia como fenômeno de natureza diversa de tele, por considerá-lo psicológico e não social.

Analisando esse mosaico de cores e tons tão variados, percebemos algumas constantes que nos permitem um fio de compreensão do que Moreno nos quis transmitir:

- tele é um fenômeno de interação, sendo viabilizado entre seres em relação, salvo tele para objetos, para animais e para objetos imaginários;
- o conceito de tele inclui percepção, porém não se limita a ela;
- tele inclui transferência e empatia;
- tele supõe mutualidade e complementaridade;
- tele implica coesão, globalidade vivencial e polimorfismo de desempenho de papéis;
- tele está intimamente ligada a posição sociométrica;
- tele não exclui a noção de vínculo intrapsíquico, a de parcialidade na comunicação e expressão e a da sua existência sem reciprocidade.

O primeiro ponto contraditório dessas formulações está na questão da reciprocidade. Se tele é um fator fundamental para a ocorrência de um encontro, supondo-se que a noção de encontro seja um dos parâmetros para a sua caracterização, é óbvio que ser definido como um fenômeno de dupla direção e, portanto, diverso de empatia é condição *sine qua non* para a sua delineação. Contudo, a admissão de uma tele para objetos, de uma tele para animais, de uma tele para objetos imaginários e da transferência compreendida como parte da própria tele (seu ramo patológico e que em si mesma já contém a noção de não reciprocidade) aponta-nos para um fenômeno mais amplo que transcende a exigência de reciprocidade como elemento indispensável à sua definição, a não ser que estejamos falando de dois fenômenos batizados com o mesmo nome. O próprio Moreno também se refere à tele como dupla empatia. Desse ponto de vista, onde há transferência, onde há tele para objetos, tele para animais ou tele para objetos imaginários não se pode esperar ou obter reciprocidade, pelo menos no nível que se espera para que haja encontro. Reis, por raciocínio semelhante para uma conclusão diversa, não admite tele para objetos e para animais, por carecerem de substrato para a coexistência e a reciprocidade.[55]

Se olharmos para tele pela ótica da percepção, o conceito se mostrará mais insatisfatório ainda. É claro que, em se tratando de encontro, a percepção terá de estar presente e desobstruída de qualquer esfumaçamento transferencial. Porém, ela não passará de um fragmento da vivência totalizadora que define o encontro. Por outro lado, Aguiar demonstra insofismavelmente que aquilo a que chamamos de percepção correta é puro mito. Diz Aguiar: "O percepto não coincide nunca com o objeto em si. Tampouco com o sujeito"; e ainda: "[...] a identificação do percepto com o objeto é uma característica também necessária do processo perceptual: o objeto é, para nossa consciência, o próprio percepto"; e mais: "Desenvolver o tele do paciente, ou seja, sua capacidade de ver as coisas como elas são. Um desiderato francamente objetivista. Impossível"[56].

Em outra vertente, a dos iniciadores e do aquecimento, Naffah Neto afirma:

> [...] no momento em que o indivíduo se abre à própria situação e deixa-se penetrar por ela [...] forma-se entre seu corpo e a situação uma rede de significações, onde todos os sentidos e os vários segmentos do seu corpo passam a articular-se e a rearticular-se numa totalidade expressiva [...] Assim, pois, o aquecimento não é um processo mecânico, mas representa um esforço de abertura à situação, onde todos os sentidos funcionam como iniciadores [...] Assim, pois, poderíamos dizer que o iniciador fundamental é a própria percepção [...][57]

Consequentemente, não só fica invalidada a definição de tele como percepção correta como também fica explicada a ênfase que se dá à percepção. Logo, o conceito de tele terá de incluir o de percepção como um de seus componentes e particularmente como um iniciador, mas levando em conta que o seu caráter inter-relacional relativizará essa percepção, pelo simples fato de que, numa relação qualquer, cada componente é ao mesmo tempo objeto e percepto um do outro. Não sendo possível ver o outro como ele é, talvez numa situação de encontro o que seja possível é ver a relação como ela está naquele momento específico para vivê-la na disposição que entendamos "por inteiro" num pequeno fragmento temporal.

Repetirei o que já escrevi anteriormente por se encaixar nesse fluxo de ideias:

> Tele, conceito próprio do psicodrama, na condição de fenômeno da interação, supõe uma vivência totalizadora mútua, em que a integridade do biológico, do social, do intelectivo, do perceptivo e do afetivo se fazem presentes nos seres em relação em dado momento — é o campo limpo e iluminado do acontecer existencial entre seres onde se dá o encontro. Para que isso ocorra, é necessário o preenchimento de condições muito difíceis de alcançar, de repetir e, mais ainda, de manter. É por essa razão que sua vinculação à categoria momento se faz indispensável. [...][58]

Embora essa minha afirmação considere o aspecto vivencial globalizante de tele, ela ainda está claramente ligada à noção de encontro. Ora, é difícil admitir que tele, assim como Moreno a descreveu em suas formulações iniciais, possa ser considerado um atributo individual, assim como a capacidade de vivenciar seja lá o que for, ou como o fator "e", expressão da espontaneidade do indivíduo. Eu me pergunto se aquele Moreno não estaria tão entusiasmado com o que descobria sobre espontaneidade e tão preocupado em demonstrar, até graficamente, e em quantificar suas ideias de um ponto de vista sociométrico, cunhando-as num sistema que pudesse ser aceito como científico (a sua necessidade de experimentação é bem evidente nessa fase), que acabou aplicando os mesmos instrumentos e a mesma linha de raciocínio para um fenômeno de natureza diferente e que chamou de tele, na verdade um conglomerado de fatores (espontaneidade, criatividade, percepção, sensibilidade etc.), quando considerado desse ponto de vista.

Restaria então comparar tele como fenômeno vivencial globalizante viabilizado apenas na inter-relação e, portanto, não próprio de um indivíduo, mas de uma relação, com tele como ramo específico entendido como indissociável da noção de encontro. A meu ver, a mistura entre esses dois critérios é que tem dificultado tanto a compreensão do conceito, mistura essa que Moreno e todos os seus seguidores insistiram em manter. Note-se que eu próprio, na definição de alguns anos atrás, não consegui me libertar desse impasse e acabei transmitindo a mesma incongruência.

Não posso deixar de considerar que Moreno captou a necessidade de definir um fenômeno relacional que enfeixasse em si mesmo todas as possibilidades humanas do acontecer existencial. Até então, somente eram descritas parcialidades daquilo que poderia ser vivenciado entre seres humanos: transferência, empatia, projeção etc. O conceito de tele surge como definidor de um campo sociométrico em que escolhas acontecem, intermediadas ou não por transferências, em que papéis são jogados e complementados com interposição ou não de papéis imaginários, em que o perceptual de cada um está presente, funcionando como iniciador para um aquecimento para os mais variados atos contidos nos desempenhos dos diversos papéis sociais.

Tele entendida assim é interação, é vincular, inclui percepção sem se limitar a ela, inclui transferência e empatia, está ligada a posição sociométrica, inclui globalidade vivencial e polimorfismo de desempenho de papéis e a noção de complementaridade.

Quanto a tele entendida como ramo ou como um canal, desobstruído, de comunicação e expressão, viabilizador do encontro, para o que a coesão e a mutualidade são condições indispensáveis, não se pode descartar, de forma nenhuma, a compreensão do que é transferência, para o que abriremos parênteses para discuti-la. Retomaremos as reflexões sobre tele mais adiante.

Para que uma relação esteja ocorrendo sem a intromissão de transferências, em dado momento, é necessário que haja

> [...] perfeito equilíbrio entre a percepção integrada (não necessariamente consciente) dos diversos papéis disponíveis na relação para um e para o outro, o que terá de ocorrer nos dois ou mais polos da relação; a aplicação mais favorável e portanto espontânea de um mesmo critério

sociométrico entre os envolvidos na relação, resultando em mutualidade real[59]; e a escolha e o desempenho de um papel ou papéis, naquele momento, inteiramente espontâneos e adequados à escolha e ao desempenho do papel do outro. Assim, deverá haver uma clara discriminação dos focos que operam nesse instante, e tal discriminação, por serem os focos localizados tanto no real quanto no imaginário e presentes em papéis quer sociais quer fantásticos, quer sociais quer pessoais, terá um caráter existencial integrando percepção, ação e afeto.[60]

Em outra linha de raciocínio, Ramadam[61] formula a equação do relacionamento ou da discórdia, demonstrando que a comunicação entre dois indivíduos é função pelo menos dos seguintes fatores: "a) o que ele pensa que é; b) o que ele pensa que o outro é; c) o que ele pensa que o outro pensa sobre ele; d) o que ele deseja ser (ou ter); e) o que ele deseja que os outros sejam (ou lhe deem); f) o que ele deseja que os outros desejem dele"[62]. Dando uma valoração positiva ou negativa a cada um desses itens a que cada indivíduo estaria sujeito e intercruzando "apenas as duas variáveis para os seis fatores mencionados, o resultado será 2 à sexta potência — 64 possibilidades para cada indivíduo"[63]. Para os dois indivíduos, com as variáveis positiva e negativa, "teremos um conjunto de 12 fatores, resultando as seguintes possibilidades: 2 à décima segunda potência = 4.096"[64]. Ou seja, para esses critérios, há 4.096 possibilidades de esses dois indivíduos se relacionarem, a grande maioria delas com pelo menos algum choque entre os fatores considerados para um e para o outro. É a demonstração matemática da transferência.

Quando formula o conceito de transferência, Moreno o faz baseado no conceito psicanalítico referido à relação entre o médico e o paciente; trata-se da projeção sobre o terapeuta das fantasias irreais que ele (o paciente) tem no processo dessa inter-relação.

No entanto, Moreno entende que contratransferência não passa do mesmo fenômeno, só que de direção inversa, ou seja, as projeções que o terapeuta faz sobre o paciente — e, portanto, da mesma natureza.

Se, de um lado, Moreno não deixa de ter razão nessa afirmativa, de outro ele não considera que a contratransferência contém também outro componente de grande valor instrumental: o sentimento do terapeuta como indicador da transferência do paciente.

Colocando em linguagem psicodramática, se em alguns momentos aquilo que o terapeuta sente ou a forma como, em dado instante, ele se relaciona com o seu cliente não passa de mera transferência, não há sentido em dar ao fenômeno um nome diferente (contratransferência) só porque se passa no mundo interno do terapeuta. Em outro momento, pode não haver transferências detectáveis do terapeuta, mas sentimentos que o levam a complementar ou quase complementar um papel que o seu cliente desempenha ali e que busca, na verdade, o seu papel complementar interno patológico (um papel imaginário), sendo com isso indicador de uma transferência desse último, em franca atuação. Naturalmente, o que acontece dentro do terapeuta nessa segunda situação não pode ser também chamado de transferência do terapeuta. Melhor dizendo, o cliente estará, de fato, em relação direta com seus "fantasmas internos", exigindo do terapeuta uma conduta superponível à deles ou um comportamento compensador ou reparatório de um vazio nunca preenchido (o xerox ou a antítese de seu papel complementar interno patológico). Por isso afirmei que a detecção de tal fenômeno tem grande valor instrumental. É óbvio que localizar tal movimento na relação terapeuta-cliente é meio caminho para surpreender o *status nascendi* da transferência em questão e ajudar a criar um *status nascendi* relacional novo em que ela não mais seja fator determinante de uma forma enviesada de se vincular, em que pese a possibilidade sempre presente da concomitância de outras articulações transferenciais.

Laplanche e Pontalis definem transferência como "o processo em virtude do qual os desejos inconscientes se atualizam sobre os objetos, dentro de determinado tipo de relação estabelecida com eles de um *modo especial* na relação analítica"[65] (o grifo é meu). É evidente e por demais conhecido o realce que a psicanálise dá à transferência na relação analítica, prisma pelo qual ela é comumente estudada.

Almeida, Gonçalves, Wolff, Bustos, Menegazzo, Tomasini, Zuretti[66] – para citar só alguns autores – reafirmam de um modo ou de outro as palavras de Moreno, que situam a transferência como fenômeno inter-relacional definido como patologia ou ramo patológico da tele, cujo caráter é social e não psicológico e muito mais abrangente do que ocorrendo especialmente na relação terapeuta-cliente, valendo a pena o seu estudo em outros tipos de relações humanas, através dos mais diversos papéis sociais.

Reis observa que, para o psicodrama, a transferência existe independentemente da situação terapêutica porque, de um ponto de vista sociométrico, ela não passa da expressão das incongruências de escolha no campo inter-relacional. Afirma, ainda, referindo-se à relação terapeuta-cliente, que a transferência, na visão psicodramática, ocorre para determinado papel que o terapeuta estaria "desempenhando" em dado momento naquela relação. A transferência seria, portanto, projetiva, ao contrário de tele.

É ainda Reis que nos diz, com uma intenção claramente crítica, que "tanto o psicodrama como a psicanálise consideram a transferência como algo indesejável" e que "se constitui por si só como um instrumento importante na terapia".[67] Note-se que Reis diz "importante" e não "exclusivo".

Alves, em 1984, e Gonçalves, em 1988, ocupam-se particularmente do lugar do desejo na teoria psicodramática, partindo de preocupações iniciais diferentes.

O primeiro, citando Naffah Neto, que não encontra em Moreno uma tentativa de redefinir o desejo, e apoiando-se na visão lacaniana de que o homem deseja ser desejado pelo outro e busca o preenchimento dessa falta, acaba se perguntando se o desejo inconsciente seria o responsável pela dificuldade de tele. Por essa razão, propõe a inclusão do estudo do desejo no teste sociométrico, com a pergunta: "Quem eu quero que me escolha?" Conclui Alves que o estudo do desejo permitiria "a compreensão dos aspectos não télicos, transferenciais entre seus elementos"[68].

Já assinalamos anteriormente que Ramadam, quando nos fala de comunicação humana e da equação do relacionamento ou da discórdia, através de um prisma diverso da teoria do psicodrama, inclui obrigatoriamente o desejo em seu estudo. Poderíamos dizer que suas formulações, em última análise, estão muito próximas dos conceitos sociométricos de mutualidades e de incongruências de escolha.

Gonçalves, por sua vez, nos transmite com segurança essa cadeia de lógica irrefutável: "A intuição fundadora do psicodrama consiste na utilização da imaginação criativa como caminho para a manifestação das fantasias inconscientes. Ora, a função primitiva da fantasia é a encenação do desejo. Assim, servindo-se ao pé de letra, o método psicodramático é o da encenação do desejo"[69].

Antes de prosseguir, vamos criar aqui um pequeno intervalo de reflexão sobre esse conjunto de dados, que nos auxilie na compreensão da abordagem psicodramática da transferência.

1. A transferência é indiscutivelmente um processo intrapsíquico que, para ser entendido, necessita, no mínimo, da articulação entre inconsciente, desejo, fantasia e projeção.
2. A tendência clássica da teoria psicodramática é a de situá-la no plano sociométrico das relações humanas, deslocando-a da relação terapeuta-cliente, que é o lugar onde a psicanálise especialmente a estuda.
3. A contratransferência, dessa forma, acaba por se diluir na teoria do psicodrama, sendo substituída — por Moreno — pela transferência do terapeuta, reduzida em seu significado e em possíveis correlações psicodramáticas, pela quase ausência de contribuições ao seu estudo, nessa ótica.
4. A transferência continua a ser predominantemente definida como oposta à tele, no que diz respeito à forma mais ou menos facilitada de se vincular. Persiste a noção de tratar-se de seu ramo patológico, vinculando-se obrigatoriamente uma à outra. Além disso, a ocorrência de tele ou de transferência seria responsável pela situação de encontro e de não encontro (fala-se até nas palavras-chave Eu-Tu e Eu-Isso, uma perspectiva buberiana, se há ou não transferência em jogo), situações essas que só podem ser determinadas num plano filosófico (filosofia do momento) e, portanto, nunca numa perspectiva teórica.

5. A transferência acaba sendo compreendida, à semelhança da psicanálise, como algo indesejável a ser necessariamente exterminado das formas de se vincular. Assim, fica quase subentendida a utopia da possibilidade de vir a se vincular com um outro sem transferências.
6. A transferência, do modo como é vista no psicodrama, passa a ser considerada de caráter inter-relacional? Ou será que a transferência, de caráter intrapsíquico, é analisada pelo psicodrama apenas pelos seus efeitos inter-relacionais visíveis pelo jogo de papéis, seu campo de estudo específico, e, como tal, não tem por que se opor à tele nem constituir seu ramo patológico?

Retomando Aguiar, não há como negar sua afirmação categórica de que tele e transferência não podem, de forma nenhuma, constituir um par de oposições, pela simples razão de a primeira estar situada no plano inter-relacional, a própria razão de sua definição, e a segunda na esfera intrapsíquica. Originam-se, portanto, em campos diversos, embora nem por isso deixem de ser intercomunicantes.

A transferência, sendo de natureza intrapsíquica, tal como ela é, não pode ser trazida — para efeito de definição — para o patamar inter-relacional só porque nos acostumamos a pensar que tele necessita de um oposto para ser caracterizada.

Por outro lado, não tem nenhum cabimento forçar a migração de tele para o compartimento intrapsíquico em nome de uma coerência de caracterização, que tem tido por base a ideia de par de oposição, em que cada integrante se define pelo outro — num viés conceitualmente equivocado —, e não cada um pelos próprios atributos teoricamente particularizados.

As tentativas brasileiras de desfazer esse par de oposição deixam a tele ou a transferência simplesmente ao deus-dará ou enfocam exclusivamente a transferência, ou criam um novo par de oposição.

Alves, por exemplo, propõe que à situação tele se anteponha a situação não tele para descaracterizar a transferência como seu oposto e para evitar a confusão com o seu significado, tal qual foi construído pela psicanálise.

Aguiar nos lembra que, em nosso meio, vem sendo empregado informalmente o termo distelesia, de autoria não localizada na literatura, com o mesmo fim, ou então até proposto como sinônimo antitele. Na verdade, os dois termos estão muito próximos do resultado sociométrico global das incongruências presentes nos vínculos. Em 1988, no trabalho que serviu de base para este capítulo e que, em boa parte, não modifiquei, eu me pronunciava a respeito do problema da seguinte forma e assim concluía:

> Ora, Moreno também pretendia situar a transferência como um fenômeno intrapsíquico, já que a considerava um ramo patológico da tele, que para ele tinha um caráter social e não psicológico. Contudo, não é possível entender transferência sem a sua ligação com papéis complementares internos patológicos — um termo criado por Bustos — ou com vínculos residuais — uma formulação de Aguiar — ou com um foco em papéis imaginários, o que aponta irremediavelmente para a sua vinculação também intrapsíquica. Não podemos esquecer que a noção de papel, como tão bem demonstrou Rocheblave-Spenlé, supõe uma íntima conexão com as camadas mais profundas da personalidade. A transferência, assim entendida, tem inegavelmente um grande valor operacional em psicodrama. Apesar da questão dos vínculos virtuais, que definidos por Aguiar transcendem a simples transferência; e a do desejo, situada por Falivene Alves, a transferência ou qualquer um de seus sinais ainda é para mim o ponto de partida de qualquer dramatização com protagonista. Apesar da confusão que provoca por confundir-se com o conceito psicanalítico, a consagração do termo em psicodrama tornaria muito dificultosa a sua substituição. Na verdade, o que o psicodramatista surpreende é a sua interferência no desempenho de um papel social qualquer, surgindo a transferência diretamente, captada num movimento existencial, ou seja, num modo de ação que se repete em papéis sociais diferentes até um mesmo modo num papel imaginário, que se constitui no complementar interno patológico, ou indiretamente através de sinais como os sintomas, dos quais a angústia é peça fundamental.

Sendo assim, a transferência, tomando as mais diversas formas nos mais diferentes papéis, e desempenhando tal importância na obstrução do fluxo espontâneo de qualquer movimento existencial em qualquer relação, terá que se vincular obrigatoriamente à categoria momento, que definirá o estado de uma relação, estando esta relação sofrendo ou não a sua influência.

A tele, entendida como um canal desobstruído de comunicação e expressão, apenas significa este momento da relação sem intromissão de transferências que viabiliza o encontro. E é por esta razão que prefiro utilizar a expressão "uma relação no momento presumivelmente permeada por transferências" a utilizar tele neste sentido, prática que já abandonei. Reservo o termo tele apenas para a caracterização totalizadora, já discutida neste trabalho, daquele campo que se estabelece numa dada relação que possibilita qualquer acontecer existencial, e que, por isso mesmo, inclui nela mesma até a empatia e a transferência e até mesmo o encontro. Não cabe portanto, a meu ver, o emprego de tele como qualificativo e nem num sentido individual. Tele é substantivo e sempre será atributo de uma relação.[70]

Ainda sobre tele, Almeida, Gonçalves e Wolff[71] também nos chamam a atenção para o fato de Moreno ter reduzido a questão opondo transferência a tele. No entanto, apontam para esta como uma condição de recuperação da espontaneidade e criatividade.

Por sua vez, Almeida já situara entre os parâmetros de definição de catarse de integração a reversão de um modo relacional para a situação tele. Ou seja, um processo que se dá em "coexistência, coexperiência e coação".[72]

Reis, mais uma vez, de um ponto de vista também fenomenológico, define a reciprocidade, ou seja, uma forma de coação, como dependente de um entrelaçar de existências (coexistência), em que os outros estão presentes na existência pessoal do sujeito, o significado de cada coisa sendo dado pelo significado que os outros lhe dão e que o sujeito apreende. Assim, o ser humano nasce para se relacionar, o que faz por meio de papéis sociais, inserido que está num átomo social e numa rede sociométrica. Eis a sua definição de tele: "É um processo humano, que opera no átomo social dos indivíduos, expressando-se através das mútuas percepções de sentimentos de atrações e de rejeições, com isto unindo ou separando o grupo".[73]

Essa definição de Reis, embora procure sintetizar a inserção e o alcance sociométrico do conceito, viabilizado numa vertente fenomenológica de coexistência, coexperiência e coação, não escapa da ênfase que dá à percepção (já criticada) como base das mutualidades de escolha, aqui apenas inferidas, e do foco na coesão grupal. Ora, por essa forma de definir, tem-se a impressão de que apenas em grupo a tele pode ser exequível e não simplesmente entre dois sujeitos, não havendo por que, neste último caso, falar em união ou separação grupal. Reis, a exemplo de todos nós, faz uma nova aproximação desse difícil conceito, mas também não consegue apreendê-lo como um todo.

De qualquer forma, o que quero enfatizar com a aparente digressão dos últimos parágrafos é que, por caminhos diversos, apesar dos muitos pontos de contato, Almeida, Gonçalves, Wolff e Reis abordam tele pelo prisma da coexistência, da coexperiência e da coação, capazes de recuperar a espontaneidade e a criatividade por intermédio de papéis sociais vividos e jogados em dado vínculo. Ou seja, começa a poder se modificar o foco de compreensão de tele.

Desse modo, chegamos à maneira de Aguiar de transmitir o que entende por tele. Para ele, os papéis cumprem uma função sinalizadora para a complementação de atos e se definem pelo projeto dramático em jogo em dada relação ou situação. Em outras palavras, quando as pessoas entram em contato umas com as outras, constrói-se entre elas um objetivo comum (projeto dramático) que norteia a complementaridade de papéis naquele processo relacional que se estabelece. E, consequentemente, todos os atos necessários para que tal complementaridade se cumpra. Isso vale para qualquer situação da existência e, é claro, para qualquer papel, quer social, quer psicodramático.

É uma característica humana que, no instante em que esse movimento relacional se inicia, os papéis complementares que se articulam o fazem a partir de uma pauta de expectativas que o próprio ato de se relacionar vai deixando a descoberto no momento ou no processo. "A reformulação de tal sistema de expectativas"[74], enquanto e durante esse movimento relacional, nada mais é que a cocriação. Essa situação de complementaridade criativa em que se dá um encontro (desvinculado aqui de seu sentido filosófico) de espontaneidades é o que chamaríamos de tele. A situação não tele, como Aguiar prefere denominar, é aquela em que essa complementaridade criativa deixa de se estabelecer porque não há concordância quanto ao projeto dramático em questão. Por concordância ou não concordância entende-se aqui o projeto dramático implícito que se explicita no processo relacional em complementaridade criativa ou não. É essa forma de complementação de papéis (criativa ou não criativa) que define o projeto dramático e o grau de concordância sobre ele nos próprios atos da existência.

Eis por que afirmei que o foco de compreensão de tele começa a mudar quando o ajustamos pelo viés da recuperação da espontaneidade e da criatividade, num processo de coexistência, coexperiência e coação, ou seja, agora fica mais claro, cocriação, que engloba as três. A percepção tão exageradamente privilegiada nas definições de tele é apenas um dos muitos componentes desse conjunto.

Desse ponto de vista, a cocriação, teríamos de falar em exercício da espontaneidade e da criatividade e não em sua recuperação, que seria, durante esse processo relacional, apenas uma das possibilidades em jogo.

Não é difícil entender, portanto, por que atores pouco espontâneos podem não cocriar. Tudo depende do projeto dramático viabilizado ou não durante a complementação de papéis, a partir do momento em que eles se oferecem para tal articulação nos atos mais simples do dia a dia.

Para Aguiar, a transferência seria um caso particular de não tele, caracterizado por viver equivocadamente um projeto dramático como se estivesse vivendo outro. "A abordagem psicodramática da transferência seria", dessa forma, "um meio de acesso ao evento 'não tele'."[75]

Em 1988, a revisão que fiz dos conceitos tele e transferência[76] levou-me às seguintes conclusões:

1. Deixei de utilizar tele e transferência como par de oposições, embora por razões diversas daquelas que Aguiar formulou.
2. Passei a definir tele apenas como um campo relacional, no qual a própria transferência poderia ocorrer, que se estabelecia sempre a partir da construção de um vínculo, não havendo, portanto, tele de uma pessoa ("a minha tele", por exemplo), mas tele de dada relação e desvinculada da noção de encontro.
3. Tele, compreendida dessa forma, nunca poderia ser empregada como qualificativo, como "relação télica", "percepção télica" etc. Seria sempre substantivo: "Tele de tal ou qual relação", na qual poderia ou não haver transferências em dado momento.
4. A transferência, investida de grande valor instrumental, é que definiria a fluidez ou a obstrução de um modo de se vincular, desde que atrelada à categoria momento.

Vários anos se passaram desde então. Hoje, minha visão crítica sobre minha visão crítica daquela época levanta as reflexões que se seguem:

1. É indiscutível que tele e transferência não podem se configurar como um par de oposição. No entanto, as razões pelas quais tal oposição não pode mais sequer ser considerada repousam no caráter inter-relacional de tele e intrapsíquico da transferência, como Aguiar demonstrou irrefutavelmente em 1990.
2. As eventualidades relacionais descritas por mim, de dada relação estar ou não presumivelmente permeada por transferências, em dado momento, não são exatamente superponíveis aos eventos tele e não tele (ou distelesia ou antitele) tal qual formulados por Aguiar, como à primeira vista possa parecer. Naquelas minhas redefinições, o que me preocupava era a descaracterização de tele como par de oposição à transferência e como viabilizadora de encontros. Já Aguiar passa a considerar a transferência,

como vimos, um caso particular do evento ou situação não tele. Para mim era equivalente chamar os dois fenômenos de transferência e não transferência ou tele e não tele. Para Aguiar, logicamente, não.

3. Tele, tal qual defini naquele ano, mais se aproxima hoje de algo que eu poderia chamar de *campo sociométrico* (termo já utilizado anteriormente por Aguiar) ou talvez de forma mais abrangente, por sugestão de Ana Maria Knobel, com quem discuti o assunto, de campo socionômico, num sentido de campo vincular. À procura de um termo psicodramático que definisse o fenômeno, que expliquei como um campo inter-relacional que possibilita qualquer acontecer existencial, campo sociométrico me parece limitado porque pode sugerir apenas a métrica relacional. Campo vincular não se compõe como um vocábulo psicodramático. Por sua vez, campo socionômico, apesar de ter a vantagem de incluir as possibilidades sociodinâmicas dos vínculos, parece extrapolar a noção inter-relacional que quero caracterizar, porque inclui uma vertente sociátrica que lhe escapa. Não encontrei na literatura psicodramática algo que pudesse me socorrer nessa denominação. Fico por enquanto, apesar da crítica, com *campo sociométrico* — conceito diferente de tele — para enfatizar uma base inter-relacional de escolha e de perceptual que possa viabilizar a complementaridade de papéis para qualquer projeto dramático, resultando ou não em cocriação.
4. Tele também já havia sido por mim desvinculada da noção de encontro. Naquela ocasião, tal desvinculação tinha como razão não defini-la mais como componente de um par de oposição com a transferência, esta sim inviabilizadora do encontro. A definição de tele, como já comentado, aproximava-se da noção de *campo sociométrico*, no qual até poderia ocorrer o encontro.
5. Hoje, não vinculo mais a noção de encontro nem à tele e nem à transferência, porque encontro se coloca num patamar filosófico e tele e transferência se situam no plano da teoria. Tal posição representa um endosso à crítica formulada por Santos, em 1991, sobre

a incorreção metodológica frequente no meio psicodramático, à qual eu também sucumbi, de deixar, com nossas formulações teóricas, a filosofia interpenetrar a teoria e a técnica e vice-versa. A filosofia é construída com base em pressupostos filosóficos. A teoria, em pressupostos teóricos. A técnica, por sua vez, em pressupostos de uma prática que tem determinada teoria como base. Não vejo como refutarmos essa regra elementar que tanto temos transgredido no psicodrama. Provavelmente o fato de atribuirmos a Moreno a construção da filosofia do momento — que acabou por levá-lo a desenvolver o teatro da espontaneidade e, depois, o teatro terapêutico, que serviu de base ao psicodrama — contribuiu bastante para tal confusão.

6. Minha posição atual é a de me alinhar com Aguiar e definir tele focada principalmente na cocriação viabilizadora de um projeto dramático que se desenvolve na complementaridade de papéis dentro de um *campo sociométrico*. Assim, tele continua compatível com a maioria das constantes por mim assinaladas em suas diversas definições: ser um fenômeno da interação, viabilizado entre seres humanos; incluir percepção (criticamente), mas não se limitar a ela; abranger mutualidade, complementaridade, coesão, globalidade vivencial e polimorfismo de desempenho de papéis; guardar correlações com posição sociométrica; e até também depender dos processos intrapsíquicos que envolvem qualquer relação.

Resta mencionar duas ou três questões que tenho desenvolvido independentemente da noção de tele e cuja pertinência está justificada porque envolve a correlação entre transferência, projeto dramático, coinconsciente e cocriação.

Partindo de algumas observações de Gonçalves[77], que classifica os papéis imaginários (não vividos) em conscientes e inconscientes e situa a fantasia como o campo de trabalho do psicodrama, podemos repensar certos aspectos que envolvem a compreensão do desenvolvimento de um projeto dramático e o processo de cocriar. Diz a autora que o psicodrama faz vir à tona "todos os papéis possíveis criados pela mente de um determinado indivíduo, ou pelo coconsciente e pelo coinconsciente de um determinado grupo".

Na medida em que qualquer ato da existência que possa ser vivido num processo relacional é pautado tanto pelo coconsciente quanto pelo coinconsciente dos envolvidos na relação em questão, é licito pensar que o projeto dramático em jogo tem também tanto uma parcela consciente quanto uma parcela inconsciente. Deixarei aqui apenas assinalada essa observação, que retomo e desenvolvo nos capítulos 6 e 7, em que, tratando da subjetividade em psicodrama, proponho e defino os conceitos de projeto dramático manifesto e de projeto dramático latente — que, a meu ver, são projetos dramáticos concomitantes e atuantes em todo e qualquer processo relacional.

Por outro lado, no trabalho "Perséfone e o mendigo: a força iluminadora e a restauração estética do psicodrama"[78], procuro demonstrar que a transferência está presente em qualquer processo de cocriação, não sendo necessariamente obstrutiva ou paralisadora; muitas vezes, constitui até aquilo que movimenta essa cocriação, em razão da feição particular que adquire dada complementaridade de papéis na própria ação de seu desempenho, viabilizando um *projeto dramático manifesto* (coconsciente) pela impulsão coinconsciente de um *projeto dramático latente.* Quero dizer com isso que os propósitos transferenciais coinconscientes não necessariamente obstruem a cocriação.

A tele, pois, entendida como vinculada a projeto dramático e a cocriação, não só não se opõe à transferência como também pode não estar desvinculada dela em seu processo cocriativo.

Assim, não só a situação não tele pode ser uma via de acesso à transferência, como afirma Aguiar, como também o evento tele pode desembocar nela. A questão está em se a transferência, sempre existente, está ou não obstruindo o processo relacional[79] e, portanto, se há ou não necessidade de "tratá-la", principalmente se essa obstrução se repete em outras relações, em outros momentos, por meio de outros papéis sociais.

Se a origem da transferência é intrapsíquica e a natureza da tele é inter-relacional, pelo menos, numa primeira vista, não há incompatibilidade na sua concomitância se o processo cocriativo se desenvolve por si mesmo. O que observamos nesse processo são os *equivalentes transferenciais* (discutidos no Capítulo 2), ou seja, os sinais indiretos da transferência (intrapsíquica) manifestados pelos diversos papéis em determinado modo relacional. São esses *equivalentes transferenciais* (repercussão relacional de um fator intrapsíquico e inconsciente) que podem constituir um dos pontos de partida do trabalho psicodramático, que visa sempre à viabilização convergente dos dois possíveis projetos dramáticos (*manifesto* e *latente*) num processo de cocriação.

3. Percurso transferencial e ação reparatória

Somos todos descascadores de pérolas. Temos nas mãos um instrumento delicado que nos permite remover o envoltório nacarado e cheio de imperfeições e ranhuras que revela, em nosso mudo espanto, a verdadeira preciosidade da alma humana.

Temos nas mãos, além da técnica psicodramática, o dilema de escolher a via de acesso à pérola. Por qual ferida introduzir o estilete que a recupere intacta? Como chegar ao seu brilho opaco? Com que postura, com que estilo?

Vamos pedir emprestada a inspiração de alguns investigadores famosos da literatura policial. Recorramos aos seus métodos próprios. Tomemos inicialmente Sherlock Holmes. Sua tática é dedutiva e baseada no mais variado acúmulo de informações científicas. Embora privilegie o raciocínio, que parte das mínimas pistas, costurando-as a fatos e hipóteses lógicas, não hesita em disfarçar-se quando julga necessário estar no centro dos acontecimentos, caracterizado, como um ator, nos mais diversos papéis. Medita longamente a distância e age decisivo nos momentos de desfecho de seus casos.

Hercule Poirot, com suas pequenas celulazinhas cinzentas, muito se parece com Holmes, até mesmo na pouca modéstia quanto a seus dotes, não deixando, no entanto, de se manter reservado em suas descobertas, mesmo levando em conta a sua facilidade de comunicação, apesar de revestida de uma formalidade que disfarça suas verdadeiras emoções a serviço da descoberta da verdade, ressaltando sempre as virtudes do método e da simetria. Arma cuidadosamente um teatro grupal no fim de suas histórias, no qual inevitavelmente o criminoso se denuncia, não sem antes arrancar também as máscaras sociais de todos os demais participantes da trama.

Miss Marple jamais dispensa a fofoca como arma de elucidação do crime. Como os demais, não deixa de fazer a sua investigação sociodinâmica; porém, ao se incluir também na rede sociométrica da pequena cidade do interior onde vive, ou onde se encontra temporariamente, ela se coloca como um ativo observador participante. O Comissário Maigret deixa-se envolver principalmente pelo clima, sem perder o seu papel profissional, procurando seguir seus sentimentos, sensações e intuição, menos preocupado com o encadeamento lógico dos detalhes, que se encaixam naturalmente no processo dos acontecimentos.

Philip Marlowe e o detetive sem nome de Dashiell Hammett, os mais expressivos representantes do *roman noir* americano, são homens em constante ação, que vivem experimentando na própria pele, violentamente, até mesmo os efeitos dessa disposição atuada para qualquer consequência. E, como todos os outros, por mais analíticas que sejam suas atitudes, não podem evitar as intervenções de suas subjetividades, transformadoras de um panorama que são chamados a deslindar. Passam a ficar como que colados aos fatos que se desenrolam e que não param de se suceder uns aos outros.

Finalmente, Dupin, de Edgar Allan Poe, o precursor de todos eles, despreza sarcasticamente os métodos minuciosos de investigação da polícia oficial, tidos como rigorosamente científicos, e demonstra que a verdade está naquilo que é o mais aparente. Não é a busca exaustiva do melhor método, mas sim a leitura do essencial naquilo que é mais evidente. “A carta roubada”, uma de suas aventuras, mereceu, aliás, um estudo pormenorizado de Lacan[80].

A riqueza e a dificuldade maiores do psicodrama quanto ao manejo da sua técnica estão no efeito multiplicador de associações que o acréscimo da ação, como método, possibilita. Enquanto uma psicoterapia verbal leva o psicoterapeuta a se desdobrar na decodificação dos símbolos contidos no discurso e, mais ainda, em todo aquele emaranhado de sutilezas linguísticas entremeado com o resultado das emoções na expressão, na postura e nas atitudes que se convencionou chamar de linguagem, o psicodrama exige mais ainda do psicodramatista. Se a ação abre, de um lado, um extenso leque de possibilidades associativas, de outro deixa o psicodramatista imerso na difícil tarefa de treinar sua agilidade de leitura. "Decifra-me ou te devoro", parece nos dizer a cena psicodramática.

Não é sem razão, portanto, que nos armamos de todos os recursos disponíveis a fim de nos movimentar com desenvoltura e (mais essa do psicodrama!) espontaneidade-criatividade diante de tantas variáveis: o conhecimento científico amplo e bem integrado de Holmes; a capacidade de Poirot de, a todo momento, colocar-se no papel do outro, decorrente de uma experiência concreta de vida; a investigação sociométrica informal de Miss Marple; a intuição, captação do clima e exteriorização de emoções de Maigret; o misturar-se à ação de Marlowe e do detetive sem nome e a escolha precisa do evidente essencial de Dupin.

Assim como para todos esses detetives o ponto de partida é, senão a prova material do crime, pelo menos seus sinais indiretos, para o psicodramatista o fio condutor poderá ser a transferência ou qualquer uma de suas consequências. Não podemos esquecer que o sintoma é, em última análise, uma denúncia.

O método psicodramático, numa primeira instância, consiste em detectar o clima protagônico ou restabelecê-lo quando alguma intercorrência inter-relacional ou a intromissão de uma fantasia inconsciente não permita o seu surgimento espontâneo. Exemplifiquemos:

Antonio Carlos Eva demonstrou que o processo de um grupo de psicodrama segue uma trajetória em que, como em uma espiral, se alternam impedimentos decorrentes da manifestação da fantasia inconsciente grupal e fenômenos resultantes dos curtos-circuitos dos relacionamentos possíveis no grupo, incluindo o(s) terapeuta(s). Essas intercorrências impedem a manifestação do clima protagônico e sua alternância não obedece a uma ordem precisa, o que significa que um grupo pode ter várias sessões com protagonista e depois uma ou duas com impedimentos inter-relacionais, a que se segue outra com protagonista ou não, seguida de uma em que predomina a fantasia inconsciente grupal etc., com todas as combinações possíveis. Quando esses entraves ocorrem, e sua leitura depende de vários sinais (grupo racional, assuntos fragmentados, determinados silêncios etc.), a prioridade de trabalho se volta para a sua resolução, sem o que não é possível restabelecer o clima protagônico. Entre esses dois tipos de impedimento, o foco na inter-relação — e, portanto, o trabalho com o confronto direto — tem sempre precedência sobre o trabalho de elaboração verbal ou dramática (jogos, teatro espontâneo ou jornal vivo) da fantasia inconsciente grupal em questão. O trabalho que privilegia o confronto é, portanto, sociodramático.

Acrescento as razões por que tais fenômenos acontecem dessa maneira. Ou, pelo menos, algumas das razões possíveis:

Para que uma dramatização ocorra é necessário que o grupo e, particularmente, o protagonista possam se movimentar simultaneamente no plano relacional do contexto grupal, por meio de papéis sociais bem definidos (membro de um grupo, companheiro de grupo, paciente, terapeuta etc., conforme o caso e a situação) e no plano do imaginário ou da fantasia, por intermédio de papéis psicodramáticos. Se o grupo ou o protagonista se encontra apenas no plano relacional do contexto grupal, porque assim o necessita, a consequência lógica é a de não poder desempenhar papéis psicodramáticos que lhe sejam propostos. Cada um estará apenas jogando papéis sociais para aquela situação, naquele momento. Por isso, uma dificuldade inter-relacional, ligada a uma situação de momento de uma pessoa e/ou grupo e/ou terapeuta(s), terá de ser resolvida a partir de um confronto ou confrontos diretos. Se o grupo ou o protagonista se encontra imerso no plano da fantasia e de tal forma tomado, está como que numa situação psicótica, não havendo possibilidade de discriminação de papéis psicodramáticos para a elaboração da fantasia em jogo. Por exemplo, estar simultaneamente nos dois planos é que faz um protagonista, no papel de um personagem violento, parar no meio do soco e dizer ao terapeuta: "Vou machucar Fulano", referindo-se à pessoa do ego-auxiliar ou do companheiro de grupo que desempenha ali o papel complementar. Nesse instante ele demonstra discriminar claramente o contexto grupal, de que ele faz parte com seus papéis sociais, da subjetividade de seus personagens internos, representados ali em papéis psicodramáticos.

Melhor dizendo e aplicando mais criteriosamente uma terminologia psicodramática, a ausência de um clima protagônico em um grupo de psicodrama aponta obrigatoriamente para a possibilidade de um dos dois fenômenos grupais ou de ambos conjugados entre si: a intercorrência de impedimentos sociométricos interferindo na inter-relação grupal ou jogos de papéis imaginários[81] perpassando o coinconsciente grupal[82]. A não detecção de tais fenômenos e sua não resolução no grupo comprometerão a fluidez de seu processo, bloqueando a eclosão espontânea de um clima protagônico, favorecendo a emergência de falsos protagonistas e até podendo contribuir decisivamente para abandonos grupais.

Tendo sido dado, então, o primeiro passo com a detecção do clima protagônico ou a resolução de seus impedimentos, o segundo é delimitar ou pesquisar a transferência que será objeto da dramatização (levando-se em conta aqui o trabalho psicodramático focado na transferência). Aqui começa um dos requintes do trabalho psicodramático. Vamo-nos deter no exame de cada uma de suas fases.

A primeira delas consiste na delimitação da transferência, que é a caracterização do que passei a chamar de primeiro elo transferencial de uma cadeia ou percurso transferencial. A segunda é a fase de pesquisa dessa transferência, ou seja, desse primeiro elo, quando a situação vivida pelo protagonista de um grupo ou pelo sujeito em sessão de psicodrama individual bipessoal é predominantemente experienciada no nível das sensações, estando pouco claro para qualquer um dos dois e para o psicodramatista o nexo da sensação experimentada com alguma dificuldade específica num plano inter-relacional, quer porque a sensação é a expressão mais viva da transferência em questão, quer porque há mais de uma conexão transferencial em jogo. Nesses casos, o psicodramatista deve ter em mente, já que ele também não sabe com que transferência está trabalhando, que a dramatização que ele propõe, pelo menos em sua primeira fase, é uma dramatização diagnóstica da transferência. Esse cuidado é necessário porque ele precisa saber que essa primeira etapa desta dramatização serve para orientar não só o protagonista como ele próprio. Nesse momento é preciso ter bem claro que, primeiro, a dramatização não tem nenhum cunho reparatório e portanto, salvo situações especiais, não se esgota uma vez cumprida a sua finalidade, mas é o ganho natural para a cena mais bem delimitada com a transferência visível, agora um caminho mais iluminado para a *ação reparatória*. Segundo, que essa primeira fase pode evoluir rápida e espontaneamente nessa ou em outra cena sem que a transferência seja ainda percebida pelo psicodramatista. Não faz sentido, nesses casos, interromper o fluxo espontâneo do protagonista para diagnosticar dada transferência, mas se deverá, isso sim, redobrar a atenção de leitura porque a transferência oculta fatalmente aparecerá na cena ou nas cenas. Quem confiar na espontaneidade do protagonista verá. Insisto nesse ponto, nesse primeiro momento da dramatização, porque é aqui que muitas e muitas vezes o psicodramatista se perde porque perde o fio transferencial. Esse é o momento de procurar na carapaça a ranhura por onde começar o ato sutil de descascar a pérola.

A terceira fase do percurso transferencial é a do encadeamento dos elos transferenciais visando à quarta fase, isto é, ao que se convencionou chamar de "reparação" na linguagem psicodramática. Poderíamos ainda apontar como uma quinta fase a da correlação transferencial com o aqui e agora, quando é possível estabelecer tal nexo, permitindo uma *ação reparatória* no plano relacional do contexto grupal ou do contexto individual bipessoal ou pluripessoal da psicoterapia psicodramática[83], por meio de papéis sociais bem definidos (cliente, terapeuta, companheiro de grupo), o que transcende a transformação vivida apenas pelos papéis psicodramáticos.

O encadeamento eficaz dos elos transferenciais depende, como técnica, da capacidade do psicodramatista de acompanhar as possibilidades associativas do protagonista, ampliadas pela ação dramática, buscando surpreender os movimentos existenciais que aparecem no discurso e na dramatização; do bom aquecimento para as cenas; e, sobretudo, de algo que não se menciona em psicodrama: a manutenção do aquecimento. Sem esses três elementos não é possível chegar a nenhuma *ação reparatória* e, consequentemente, a uma catarse de integração.

A primeira dificuldade que o psicodramatista experimenta, quanto ao encadeamento dos elos transferenciais, é a própria proposta de ação. Costumo dizer que o psicodramatista deve exercitar sua capacidade cinematográfica, ou seja, imaginar a cena que está contida no discurso de seu cliente e, refreando a tentação de interpretá-la, propor sua dramatização. Isso é diferente da compulsão à dramatização, que sobrepassa o momento necessário para a reflexão e a elaboração dos nexos e afetos levantados no processo ou se sobrepõe à expressão de uma dificuldade ou fantasia, cujo alvo é o próprio terapeuta. Também pode estar no primeiro plano uma necessidade confessional ou de compartilhamento, vivida em dado instante, ou ainda a utilização da proposta dramática como mecanismo de defesa contra a emergência de sentimentos e *insights* mais profundos. Caso qualquer uma dessas eventualidades não seja atendida, em razão de uma proposta dramática precipitada e mal refletida, resultará fatalmente em dramatizações vazias de sentido existencial, tipo teatrinhos, que, como tal, evidentemente não devem ser montadas e, se construídas, precisam ser desarmadas.

Quando menos, se não se propõe uma cena, podemos sempre nos perguntar se, em vez de uma interpretação, não é possível fazer um duplo, entendido como a evidência daquilo que está sendo defendido no momento (o conteúdo latente) e não a evidência da defesa — aliás, um erro muito comum. Por exemplo: se determinada pessoa manifesta uma inibição em seu desejo de se aproximar de outra, não seria um duplo dizermos no papel dela: "Eu não consigo me aproximar de Fulano". Tal frase poderia ser a expressão de um mecanismo de defesa ou a exteriorização de um sintoma, nada se ganhando com uma intervenção que é apenas o seu reforço. O duplo seria: "Quero me aproximar e não o faço por tais e quais razões que eu temo, razões inconscientes do meu desejo". O emprego da técnica do duplo faz emergir facilmente a transferência e, é claro, cenas a ela vinculadas ou nela subentendidas.

Muitas vezes, falta ao psicodramatista a primeira virtude "teologal" do psicodrama, ou seja, fé, entendida aqui não no sentido teológico. Falo de se acreditar realmente no psicodrama. Essa crença não se cria do nada. Ela só se constrói quando se sentem os efeitos do psicodrama na própria pele. Em outras palavras, a sua própria psicoterapia psicodramática. Logo, essa convicção depende do modelo de psicoterapia que se tem. E sem fé não se faz psicodrama, aqui entendido como ação integrada a um significado existencial profundo para o indivíduo, com resultados concretos dirigidos ao encontro com o outro. Quem não experimentou na própria vida a força transformadora de uma catarse de integração, via dramatização, nunca terá convicção suficiente para propor dramatizar e para dar curso a seus desdobramentos. Quem esqueceu os seus efeitos, com certeza, cristalizou-se existencialmente. Assim, quero deixar bem claro que, em se tratando de psicoterapia psicodramática, tanto individual bipessoal ou pluripessoal quanto de grupo, a escassa ou nenhuma dramatização (desde a aplicação das técnicas fundamentais até o emprego dos recursos mais recentes, como a utilização de brinquedos, desenhos, psicodrama interno etc., seja de forma ampla ou seletiva), ou dramatizações frouxas, como regra num processo, apontam, com frequência, para dificuldades pessoais daquele que se denomina psicodramatista. Seja porque jamais vivenciou um modelo psicodramático eficaz em sua terapia e supervisão, comprometendo todo o seu treinamento profissional, seja porque enveredou por outros caminhos e, às vezes até por não ter claro, não conseguiu deixar o psicodrama e adotar outra linha de trabalho, na qual talvez se sentisse mais confortável e mais eficiente. Infelizmente, quando essas razões não são transparentes, às vezes esse terapeuta racionaliza seu conflito a tal ponto que transforma a sua dificuldade de dramatizar, qualquer que seja o motivo, em formulações teóricas pretensamente psicodramáticas. Dependendo de sua habilidade e de seu poder, ele poderá até fazer escola, esquecendo que o método psicodramático é inegavelmente derivado do teatro e, como tal, é e sempre será, queiramos ou não, um teatro espontâneo construído na ação por meio dos papéis psicodramáticos.

A dificuldade de propor uma dramatização também afeta as raposas velhas do psicodrama. A par de outras razões, chama-me a atenção um fenômeno curioso. Os anos de janela produzem, junto com os efeitos benéficos, uma tendência da qual precisamos todos nos resguardar. É o esquecimento de que os pequenos procedimentos técnicos que já repetimos uma infinidade de vezes podem ser de grande importância para quem se trata conosco. Ser terapeuta é um eterno recomeçar. A experiência nos dirá muitas vezes aonde vai chegar determinada cena, o que não se confirma também muitas outras vezes, mas isso não é razão suficiente para não ajudar a montá-la. Nossa busca de aperfeiçoamento nos leva a experimentar novos procedimentos e traz novas questões, porém nosso cliente continua precisando da forma de ajuda que melhor sabemos dar, mesmo que para nós ela possa parecer repetitiva. O que torna nosso trabalho sempre novo não é a técnica, mas nossa predisposição para mergulhar com o protagonista no *status nascendi* de novos encontros, momentos de qualidade sempre única.

Aberto um maior leque de possibilidades associativas com a proposta de dramatização, estaremos diante da difícil tarefa de reconhecê-las. O fator complicador por um lado e revelador por outro, do psicodrama, é que, além da associação de palavras, do exame de seu significado simbólico, da decifração das metáforas e metonímias, da leitura da expressão facial e da tonalidade de voz ao pronunciá-las e da observação do resto do corpo e de sua postura, precisamos traduzir também a ação dramática, os movimentos ou ausência deles, as imagens corporais concretizadas, zonas corporais tensionadas na ação, o modo de relação estabelecido com o outro (às vezes o próprio terapeuta), as relações temporais — tudo isso por meio do desempenho de papéis psicodramáticos ou do jogo de papéis sociais no aqui e agora de uma sessão de psicodrama, e ainda por cima sem perder o foco da transferência que está sendo trabalhada. Dito assim, é para qualquer um desistir antes de começar. Entretanto, tudo se resume em reconhecer o mesmo movimento existencial (expressão utilizada por Bustos numa comunicação pessoal) presente em qualquer uma dessas formas de simbolizar.

A essa altura, já devem estar me perguntando: "Que diabo é isso de movimento existencial?" Nada mais é que dada ação ou não ação que se manifesta ou não se manifesta através de um papel ou papéis por efeito cacho, com tendência a se repetir conservada ou espontânea e criativa ou originalmente reescrita na história do indivíduo. Não seria mais fácil, dirão, referir-me a papéis mais ou menos desenvolvidos? É lógico que determinado movimento existencial se realiza mais ou menos ou não se realiza na dependência do estágio de desenvolvimento de um papel. No entanto, sendo difícil avaliar o grau de desenvolvimento de um papel apenas pela observação de seu desempenho, e porque é pouco preciso e indeterminado um parâmetro de "normalidade" de desempenho de papéis, recorro ao conceito de movimento existencial como elemento intermediário entre papel e transferência que torne mais visível um e outra na condução de sua trajetória até a ação reparatória. Exemplifiquemos.

Uma pessoa nos conta que desistiu de pedir a um amigo determinado favor porque achou que não seria atendido. Digamos que, além dessa informação (acrescentemos outras variáveis), essa pessoa, a quem chamarei de José, relate que o mesmo acontece toda vez que quer empreender uma conquista amorosa. Na primeira eventualidade, estamos diante de um movimento existencial de desistência, pois assim se expressou José no papel de amigo — e supõe o envolvimento de pelo menos uma dada transferência. Na variante que já no primeiro momento detecta o mesmo movimento que se repete em mais de um papel (efeito cacho), podemos levantar a hipótese de que também aqui está por trás a mesma transferência. Imaginemos que na dramatização que é montada surge, numa cena, um movimento concreto de José de dar as costas a determinado personagem que ele teme enfrentar. Suponhamos que nessa cena não tenha sido sequer pronunciada a palavra desistir. Nem por isso deixamos de fazer a correlação entre "desistir de uma investida amorosa" com o movimento real de José de "dar as costas" em certo papel psicodramático. Em outras palavras, o movimento existencial é o mesmo. Continuemos a dramatização e digamos que da primeira cena surja uma cena intermediária, com José no papel do aluno que se encolhe diante de uma bronca da professora. O ato automático de encolhimento, visível em sua postura corporal, corresponde de novo ao mesmo movimento existencial, sem que a palavra desistir ou o movimento de dar as costas esteja presente na cena. Se a partir dessa é montada outra, em que José é uma criança pequena que é afastada pelo pai por palavras ou por um empurrão, por exemplo, em suas tentativas de aproximação, temos aqui o mesmo movimento existencial em forma de palavras ou em forma de empurrão, só que realizado pelo personagem que representa o contrapapel, que se poderá constituir no papel complementar interno patológico de que fala Bustos — e, nesse caso, daria a chave para a *ação reparatória*. Só para complicar mais um pouco, resolvida a cena e estando José novamente no papel social de cliente, o psicodramatista assinala, tendo a visão do processo de José, que ele recentemente tem falado em deixar a terapia e que tal assinalamento represente um *insight* importante para ele. Isso representará o mesmo movimento existencial e a mesma transferência experienciadas no aqui e agora, fechando o ciclo. Poderemos então admitir que as diversas formas que toma um mesmo movimento existencial, permeadas pela mesma transferência, nada mais são do que *equivalentes transferenciais*, que é como eu as denomino. Concluindo, trilhar com segurança o caminho para a *ação reparatória* nada mais é que estabelecer os nexos entre os elos transferenciais através dos movimentos existenciais visíveis no contexto social ou no contexto dramático de uma sessão de psicodrama — ou, em última análise, saber reconhecer os *equivalentes transferenciais* no emaranhado da multiplicidade de associações possíveis que a introdução da ação provoca.

Ainda nesta terceira etapa do percurso transferencial, é fundamental a discussão sobre aquecimento e a sua manutenção nas cenas do psicodrama, o que compreende diversos aspectos, a saber:

- a proximidade do psicodramatista em relação ao protagonista;
- a utilização do duplo;
- a postura psicodramática e o enfrentamento de resistências;
- a percepção do aquecimento do protagonista;
- a extensão da montagem das cenas;
- a utilização e a extensão de uma entrevista;

- a intimidade do psicodramatista com os personagens nas cenas;
- o convite à ação;
- a concisão de linguagem do psicodramatista;
- a concretização do discurso em ação;
- a harmonização de movimentos do diretor e do ego-auxiliar e os equívocos da codireção;
- a liberdade de ação do ego-auxiliar;
- a *função ego-auxiliar do diretor*;
- a remoção do entulho das cenas;
- a leitura estrutural das cenas e a articulação dos *equivalentes transferenciais* na *ação reparatória*.

De nada adianta aquecer se o aquecimento não é mantido. Da boa manutenção do aquecimento depende o encadeamento fluido da cena ou das cenas e a sua desembocadura natural na *ação reparatória*. Ao aquecimento do protagonista justapõe-se o aquecimento do diretor e o do ego-auxiliar. Logo, a primeira condição para a fluidez de uma dramatização é a proximidade interior, tanto do diretor quanto do ego-auxiliar, com o protagonista[84], da qual dependerá a percepção das nuanças e variações do aquecimento de cada um deles, terapeutas e cliente.

Muitas vezes assistimos o diretor de psicodrama, logo após a proposta de dramatização, dirigir-se para o aquecimento específico da cena psicodramática automaticamente levando o braço aos ombros do protagonista, numa atitude afetuosa e tranquilizadora. Talvez nos esqueçamos, nesse momento, de que, embora muitas vezes a proximidade corporal possa ser, em determinadas circunstâncias, a melhor forma de proximidade, esta não é sempre genuína ou a sua melhor ou mais verdadeira forma, em que pese o estilo de trabalho do psicodramatista em questão, em que se possa incluir até uma maneira mais carinhosa de se comunicar com seus clientes. Precisamos não esquecer que espontaneidade supõe a melhor maneira e, tratando-se de uma relação, a melhor maneira engloba o eu e o outro nas variáveis de cada momento — e, portanto, também o perceptual. Podemos, por exemplo, estar diante de um protagonista que trabalhe justamente a sua dificuldade de aproximação com as pessoas ou, mais especificamente, a aproximação corporal, ou sua falta de espaço na vida, ou a fobia de um contato, ou ainda o impedimento de caminhar sozinho. São situações em que o contato corporal irrefletido e impulsivo do terapeuta pode impedir o desenvolvimento natural da cena ou uma melhor explicitação da transferência, às vezes por complementar transferencialmente o movimento existencial que não se realiza livremente através dos papéis sociais.

Em contrapartida, há momentos em que essa aproximação corporal não só pode ser realizada como constitui uma exigência para o desdobramento da ação. E aqui precisamos entender melhor o que chamei de *função ego-auxiliar do diretor* e se configura como um dos elementos fundamentais da manutenção do aquecimento.

O diretor tem ao mesmo tempo uma grande proximidade com o protagonista, que permite todo o tempo da dramatização colocar em campo a sua percepção diante dele; e um movimento de distanciamento objetivo necessário às leituras e à aplicação de uma técnica[85]. A elasticidade entre essas duas posições confere ao diretor, se pequena ou se ampla, uma condição menor ou maior de desempenho do seu difícil papel. Tal proximidade repousa na empatia que ele estabelece com o protagonista em dois níveis simultaneamente, ou seja, com o protagonista no papel social de cliente e nos diversos papéis psicodramáticos que ele desempenha na cena. Outras vezes, a proximidade é apenas aparente, se está presente alguma transferência do próprio terapeuta. A empatia é o substrato da relação, no momento da dramatização, porque o protagonista não pode deixar de estar focado em seus fantasmas e, portanto, imerso em suas transferências.

Ora, se o diretor, no momento do aquecimento específico, esbarra em alguma resistência do protagonista, o vaivém proximidade-distância é que vai permitir a utilização de um duplo, por exemplo, que o devolva à ação. A proximidade do diretor com o protagonista em qualquer papel psicodramático, em qualquer cena, é que vai fazer que ele estabeleça uma relação de intimidade com o personagem, providência indispensável para a manutenção do aquecimento. Ou, ainda, é o que vai movimentá-lo sem que saia do papel de diretor, dentro da cena, em direção ao protagonista, inscrevendo-se nesse movimento até mesmo o contato corporal. São tais procedimentos do diretor, em que atua dentro das atribuições do seu papel e não no papel de ego-auxiliar, a direção não se perdendo, que chamo de *função ego-auxiliar do diretor* e tem a função específica de manter o aquecimento do protagonista na dramatização.

Aclaremos melhor esses três recursos técnicos mencionados.

Justifico a utilização do duplo pelo diretor em qualquer momento do aquecimento específico ou do transcurso da dramatização por motivos bem determinados. O primeiro, levando em consideração o que já foi abordado, que duplo é a evidência daquilo que está sendo defendido (latente), e que é justamente o diretor que estabelece, no instante em que lhe ocorre o duplo, a relação de maior proximidade para aquela situação específica. Se ele trabalha sozinho, não há razão para não fazê-lo. Se em unidade funcional, não há sentido em solicitar ao ego--auxiliar um duplo para o qual é o próprio diretor que está aquecido. O duplo do ego-auxiliar deve ser o duplo do ego-auxiliar, isto é, no seu momento espontâneo de aquecimento e percepção. A segunda razão é a da rapidez de sua aplicação e da sua eficácia em fazer emergir rapidamente os sentimentos do protagonista, mais que uma interpretação, facilitando portanto a manutenção do aquecimento. E a terceira é a compreensão da forma de seu emprego (a técnica de sua utilização), pois têm sido vinculados a essa técnica, por parte de alguns psicodramatistas, os seguintes passos: colocar-se ao lado do protagonista em postura corporal idêntica; expressar-se inicialmente também de forma idêntica; em seguida expressar dúvidas quanto ao significado do discurso; e, finalmente, explicitar o seu conteúdo latente. Ora, tais etapas têm a finalidade prática de promover ou facilitar o aquecimento daquele que faz o duplo e tem muito menos efeito o seu cumprimento rigoroso nas emoções do protagonista. Na verdade, tais etapas devem se realizar no interior do diretor ou do ego-auxiliar, num processo interno de tomar o papel do outro para melhor percebê-lo, podendo ser expressado apenas o conteúdo latente do discurso e, acrescento, de dada expressão ou postura corporal, desde que no papel do outro — no caso o protagonista. Não julgo necessário nem mesmo adotar a mesma postura corporal na maioria das vezes. O que funciona de fato é a expressão concisa, jamais prolixa, da nossa percepção em face do interior do outro, realizada por meio de um pequeno procedimento dramático. Outra distorção comum, que revela uma falsa postura psicodramática, uma falsa proximidade, um falso respeito, é que para fazer um duplo é necessário pedir licença como garantia de não "invadir" o cliente. Eu nunca vi nem nunca soube de psicoterapeuta nenhum que pedisse licença para fazer uma interpretação. É até engraçado imaginar: "Fulano, por favor, posso demolir a sua resistência com uma interpretação que está aqui na ponta da minha língua?" Por que, então, pedir licença para fazer um duplo? Como vemos, uma melhor compreensão da aplicação da técnica do duplo tem como resultado imediato o enxugamento da sua realização, o que a coloca na categoria de uma técnica rápida e eficiente, que feita dessa maneira pode ser empregada pelo próprio diretor sem que ele se desaqueça e, para o protagonista, uma *função ego-auxiliar* sem que ele saia do seu papel.

A questão da intimidade do diretor com os personagens desempenhados pelo protagonista, outra *função ego-auxiliar*, se prende à necessidade de o diretor também se aquecer para as cenas que são montadas sem deixar de ser diretor. Colocar-se no mesmo cenário e dialogar à vontade com cada personagem, se esse diálogo se faz necessário, é um dos elementos básicos de manutenção do protagonista nos mais diversos papéis. Por exemplo, se este se encontra no papel da própria mãe sentada a uma mesa hipotética, tal aquecimento e tal intimidade com o personagem permitiriam ao diretor dizer, fazendo um gesto e uma expressão de descrença: "Qual é, Dona Fulana? A senhora diz assim e faz assado, olha só o que a senhora está escondendo sob a mesa".

Na verdade, o diretor, nesse exemplo, está apenas utilizando uma prerrogativa inerente ao psicodrama: a de, sendo diretor de um teatro espontâneo moreniano (no caso, aqui, de um teatro terapêutico, entendida assim qualquer sessão de psicoterapia psicodramática), além de dirigir a cena, poder estar presente no cenário dialogando com os personagens, durante a ação dramática e como parte do método psicodramático de direção teatral. Lembremos que no teatro tradicional o diretor, durante o ensaio da peça, pode intervir no seu desenvolvimento e interrompê-la quantas vezes quiser, para melhor aperfeiçoamento dos atores e melhor resolução do texto. No entanto, ele ficará confinado aos bastidores a partir do dia da estreia.

A proximidade-distância do diretor em relação ao protagonista tem como parâmetro a percepção que ele tem das necessidades desse protagonista, durante a dramatização, e de suas próprias necessidades, como diretor, de se aproximar mais para se permitir sentir melhor o clima da cena e o envolvimento daquele que protagoniza o seu drama, como um farejador que para cheirar tem de chegar o nariz aos mais diversos objetos; ou de se distanciar para recuperar a agilidade de leitura. Eu, particularmente, muitas vezes me abaixo e me aproximo do protagonista quando ele se abaixa ou se deita, me distancio quando percebo que ele necessita de espaço ou quer ficar só, dou-lhe a mão quando noto que ele precisa de força para alguma ação se não surpreendo nisso nenhuma complementação transferencial (até onde eu possa enxergar), e assim por diante.

O enfrentamento da resistência por si só merece um capítulo à parte. A má compreensão do que seria uma postura psicodramática contribui para o esquecimento da resistência como força atuante a ser enfrentada. O convite à dramatização, a necessidade de consenso grupal em torno do protagonista, a observância do limite de dramatização tolerável por ele de forma nenhuma supõem o não enfrentamento de dada resistência. O conceito etológico de campo tenso e de campo relaxado, tratado em psicodrama de maneira superficial, adquire contornos meramente instrumentais e acaba não sendo vinculado à resistência e à transferência — a meu ver, o único modo de não transformá-lo em meras palavras vazias de significado e praticamente inútil do ponto de vista prático. Nós nos acostumamos a ouvir sem críticas a seguinte incorreção: "O psicodramatista trabalha sempre em campo relaxado". Nada mais falso. A tensão, pelo contrário, é um importante guia de leitura que indica a presença de um *equivalente transferencial* qualquer que levanta uma resistência. O xis do problema não é relaxar ou não relaxar o campo, mas escolher o momento mais propício de enfrentar a resistência com a técnica psicodramática. O momento que precede imediatamente a ação reparatória é com frequência aquele de maior tensão em toda dramatização. Nenhum psicodramatista que se preze é louco o bastante para desfazer essa tensão, porque no íntimo ele sabe que, se assim o fizesse, não estaria tratando ninguém. Simplesmente não haveria catarse em psicodrama e muito menos catarse de integração. Além disso, quando numa dramatização se trabalha com cenas múltiplas, não resolver a tensão nas cenas intermediárias significa apenas que a tensão serve de ponte associativa de um percurso transferencial para uma ação reparatória — que não pode ser realizada em qualquer dessas cenas intermediárias, porque está obviamente deslocada de seu foco primário.

O psicodramatista enfrenta a resistência de seu cliente com todos os recursos de que dispõe, principalmente com o assinalamento conciso, com o convite à ação, com a utilização do duplo etc. O fundamental é que ele não tenha receio de propor a ação, para o que o tom e o verbo são imperativos, embora não autoritários — senão estaríamos inaugurando o "psicodramatista de Bagé", à semelhança do personagem de Verissimo, o analista de Bagé, hilariante e inigualável seguidor do método "rolo compressor". A diferença entre a precisão do conciso e imperativo e o curto e grosso repousa na maleabilidade de voltar atrás. O psicodramatista pode sempre propor a ação. Nada impede tal proposta. No entanto, ele terá de ficar atento à resposta, que pode levá-lo a continuar enfrentando a resistência, a simplesmente dramatizar ou meramente a retirar sua sugestão se os acontecimentos assim o exigirem. Não há mal nenhum no convite à ação se achamos uma brecha, desde que não soframos da já referida síndrome da dramatização compulsiva.

O convite à ação está estreitamente relacionado com outros fatores já assinalados, como a percepção do aquecimento do protagonista, a extensão da montagem das cenas, a concisão de linguagem do psicodramatista, a concretização do discurso em ação, a remoção do entulho das cenas, a liberdade de ação do ego-auxiliar e a utilização e a extensão de uma entrevista.

Poderíamos dizer, talvez, que a manutenção do aquecimento é diretamente proporcional à boa e constante observação e percepção do aquecimento do protagonista em cada momento, da proposta de ação ao final da dramatização. Essa percepção é que vai nos permitir, por exemplo, alongar ou encurtar o tempo de montagem da cena inicial, em primeira instância, ou de qualquer outra cena. Isso porque não é incomum demorar-se em detalhar cada item do cenário, com o protagonista, por se acreditar tratar-se de uma regra imutável. Ora, muitas vezes o protagonista já está na cena com sua emoção e perder tempo com filigranas é desaquecê-lo. O detalhamento se impõe quando percebemos que ele é importante como aquecimento de um protagonista frio para o desempenho de seus papéis psicodramáticos. Aí, sim, vale dizer: "E esta mesa, de que material é feita? Que vê através desta janela? Que roupa você está vestindo?" etc.

O abuso da entrevista psicodramática ou o seu alongamento é uma das causas mais comuns, e chamo bastante a atenção para isso, de abortamento da ação psicodramática. Exemplifiquemos.

Se um protagonista monta uma cena em que estão presentes ele próprio e outro personagem, a cena não fluirá se ficarmos conversando com ele longamente (às vezes até acreditando que estamos colhendo informações geniais). É mais do que claro que estamos tirando esse protagonista da ação. O "segredo", pois, é colocá-lo em ação, segredo este sempre recomendado por Bustos. No caso específico seria — e aqui fica mais claro — usar o imperativo inicialmente e sempre que ele se desviar da ação, como: "Fale com Fulano". Ou: "Eu não estou nesta conversa. Fale com Beltrana", caso ele se dirija ao diretor. A entrevista é mais útil quando curta e reservada para complementar um quadro qualquer com pequenas informações. Sempre existe o recurso de um solilóquio ou de uma inversão de papéis ou de uma concretização de sentimentos, sensações ou discurso em imagens corporais ou movimentos, que não travam a ação dramática. A tendência natural do psicodramatista que inicia a sua formação, de privilegiar a entrevista psicodramática, reflete a não libertação do modelo de psicoterapia verbal, em que a tônica é a interpretação e que foi predominante, no mais das vezes, em seu curso universitário ou de especialização psiquiátrica. A entrevista longa acaba sendo uma interpretação verbal travestida em dramatização. Quero esclarecer que não estou subestimando a importância da entrevista psicodramática, mas afirmando que o seu segredo técnico é saber dosá-la em proveito da ação dramática.

Algo semelhante pode ser dito quanto à prolixidade do terapeuta, outro fator de desaquecimento. Quanto mais conciso ele é, mais efetiva é a ação e mais oportunidade se dá à emergência da espontaneidade e da criatividade do protagonista. Quanto a isso, me lembro até hoje — com muita nitidez — de uma ocasião em que fui protagonista num grupo de vivência psicodramática para profissionais e em que esse fenômeno me afetou. Estava eu mergulhado numa vivência intensa de emoções, prestes a desencadear uma ação reparatória, num estágio pré-catártico não verbal, porque tinha de ser unicamente não verbal, quando o diretor, sem dúvida bem-intencionado, disparou a falar, pontuando uma série de coisas que eu nem sequer podia ouvir, o que me obrigava a lutar comigo mesmo (com certeza não era uma resistência minha) para não perder o aquecimento para a ação final que se iniciava e quase se interrompeu.

Um exemplo de concisão que costumo empregar quando utilizo cenas múltiplas numa dramatização é a da volta à primeira cena após a ação reparatória. Se o protagonista montou uma primeira cena elaborada, com muitos elementos, mas onde se configura claramente a transferência em dado movimento existencial em relação à namorada, por exemplo, após a ação reparatória da última cena volto à primeira, desprezando todos os seus outros componentes, e coloco diante dele, na forma de ego-auxiliar, se em grupo, ou de almofada, se individual bipessoal, a namorada em questão e digo, ou melhor, aponto somente: "Sua namorada". Afasto-me e espero a conclusão da ação. O fundamento dessa minha atitude é simples. Se, por meio do cacho de papéis, chegou-se a determinada ação reparatória pelo desempenho espontâneo de um papel psicodramático específico, uma forma renovada e ampliada de desempenho de outros papéis, que eram permeados pela mesma transferência, retornará certamente à primeira cena, também pelo efeito cacho. É só não atrapalhar o protagonista. É ter "fé" e esperar, porque essa "fé" está fundamentada na teoria da espontaneidade de Moreno, a qual resulta numa metodologia bem definida.

Está implícito neste último exemplo o que denominei remoção do entulho das cenas.

A concretização do discurso em ação está aqui incluída como outro ponto que favorece a manutenção do aquecimento, como um exemplo de possibilidades técnicas. Se um protagonista monta a cena de um diálogo, acrescentar à palavra um movimento em relação a outro que a simbolize torna mais fácil a emergência dos sentimentos ali envolvidos. Exemplo: um personagem diz ao protagonista na situação: "Eu não quero você". Acrescentando a concretização simbólica do discurso, além de falar ele o empurra. A cena fala por si mesma.

A liberdade de ação do ego-auxiliar significa algo que está sendo um pouco esquecido: a função que ele tem de complementar os papéis psicodramáticos do protagonista. Parece chover no molhado. No entanto, fazer muitas inversões de papel para que a cena seja o mais fiel possível ao mundo interno do protagonista acaba também por travar a ação. Umas poucas inversões de papel são suficientes para o ego-auxiliar captar o clima da cena, que é o que interessa. Temos de contar com um dos elementos fundamentais do bom êxito do teatro espontâneo, que é a liberdade de criar e de interatuar dos atores espontâneos, sejam egos-auxiliares ou protagonistas.

Quanto à harmonização de movimentos do diretor e do ego-auxiliar, cabe uma nota sobre os equívocos da codireção. Na maioria das vezes em que supervisiono uma unidade funcional que diz que qualquer um dos dois entra à vontade em qualquer ponto da dramatização, tanto como diretor quanto como ego-auxiliar, trocando de direção durante a evolução das cenas, acabo encontrando uma unidade funcional com escasso treinamento de papel de ego-auxiliar ou com aquecimento dos dois elementos apenas para o papel de diretor. A confusão, em geral, acontece na etapa do aquecimento inespecífico. Se trabalham em codireção, ambos permanecem no papel de diretor. Quando um deles se volta para a detecção do protagonista e o convida para a ação, o outro integrante permanece também no papel de diretor sem que se aqueça para o papel de ego-auxiliar. Termina por ficar mais ligado na direção do outro do que entregue à função de complementar os papéis psicodramáticos do protagonista. Acaba trocando de papel com o companheiro de unidade funcional com a ilusão de harmonia, quando o que muitas vezes predomina é o desaquecimento e o desencontro — quando não competição, inveja ou ciúme.

A leitura estrutural das cenas como último item da terceira fase do percurso transferencial, em que trato do aquecimento e de sua manutenção, tem como ponto-chave o conceito dos equivalentes transferenciais, já abordado. Todavia, cabe comentar dois pontos: a semelhança de estrutura de tais equivalentes, que fornece o meio de leitura, e a sua articulação final na *ação reparatória*.

Costumo dizer que o melhor método de leitura da articulação dos *equivalentes transferenciais* é o método "vovô viu a uva". O significado está nas cartilhas de minha infância, ou seja, ler o óbvio, aquilo que se está vendo, sem mergulhos interpretativos. Por exemplo, a semelhança de estrutura do movimento existencial de José, de desistir de pedir um favor ao amigo, com o de desistir de uma investida amorosa, com o de dar as costas, com o de encolher-se, com o de ser empurrado — e assim por diante. A habilidade do diretor de articular esses equivalentes numa leitura simples e inteligível para o protagonista permitirá, naquele momento da tensão máxima que precede a catarse, o desencadeamento psicodramático da *ação reparatória*. Ter sido possível, para o diretor, construir um percurso transferencial pela simples justaposição de tais equivalentes, visíveis num leque múltiplo de possibilidades associativas (discurso, corpo, movimento etc.), dispensa qualquer interpretação. Basta que, naquele momento de tensão máxima, ele assinale para o protagonista o balizamento de tais equivalentes para que a *ação reparatória* seja desencadeada. Mostrar, por exemplo, a José, num espelho, a cena em que ele é rejeitado pelo pai e costurar com ele a trajetória transferencial através dos diversos papéis sociais (mesmo aqueles tornados psicodramáticos nas cenas), em que ele se encolhe diante da professora, em que dá as costas a outro personagem, em que desiste de uma investida amorosa e de pedir um favor a um amigo e em que quase abandona a terapia.

É claro que a forma de José promover uma *ação reparatória* capaz de provocar um *status nascendi* de um movimento existencial novo que desfaça essa cadeia transferencial, que se propagará por diversos papéis sociais diferentes, depende não só de uma ação espontânea e criativa de José, mas também da leitura atenta do diretor quanto à reversão do conteúdo transferencial, presente também em todos os equivalentes transferenciais visíveis, tanto na etapa de *aquecimento inespecífico* como em qualquer cena que tenha sido dramatizada.

Essa observação é fundamental porque nem sempre a resolução dramática que o protagonista imprime à cena o conduz para uma *ação reparatória*. O que às vezes parece espontâneo é meramente defensivo; por isso, nessas situações, cabe ao diretor uma intervenção que nada mais é que uma correção de rota, muitas vezes dolorosa. Tal mudança de rumo só será possível se o diretor tiver claro o percurso da transferência através do encadeamento de seus equivalentes.

Por exemplo, se um protagonista tem como percurso transferencial um movimento de desistência que se repete nas mais diversas situações em papéis sociais diferentes, se na cena que pode possibilitar uma *ação reparatória* ele realiza outro movimento de desistência com a aparência de um movimento novo, estamos diante de uma resistência (conserva) a ser enfrentada e não, como até possa parecer, diante de um ato espontâneo e criativo capaz de reverter a repetição transferencial. Cabe ao diretor ajudá-lo, nesse momento, a iniciar um movimento de enfrentamento, ele próprio enfrentando a resistência do protagonista denunciando e apontando o movimento existencial que não foi realizado e que é, de fato, o novo tão temido e não atuado.

Finalizando esse tema, quero discutir brevemente o que venho chamando, ao longo deste capítulo, de *ação reparatória*.

Temos utilizado no psicodrama, de alguns anos para cá, o termo reparação, já existindo no vocabulário do psicodramatista os termos catarse, catarse de integração e *insight* dramático. Ora, o conceito psicanalítico de reparação, introduzido por Melanie Klein, é muito específico e preciso. Segundo Laplanche e Pontalis, é o "mecanismo pelo qual o indivíduo procura reparar os efeitos produzidos no seu objeto de amor pelos seus fantasmas destruidores"[86]. Tal mecanismo está ligado à angústia e à culpabilidade depressivas: a reparação fantasmática do objeto materno, externo e interno, permitiria superar a posição depressiva, garantindo ao ego uma identificação estável com o objeto benéfico. Penso que com tal definição não podemos chamar de reparação o desfecho favorável de determinada ação psicodramática.

Ora, sabemos todos que uma catarse de integração não é visível numa dramatização porque a integração decorrente dessa catarse é evolutiva e só ocorre na sequência da vida de um sujeito por meio do desempenho de papéis sociais e após a sessão em que se deu a catarse. Apenas o cume do processo, como diz Bustos. Por outro lado, Almeida detecta três formas de catarse de integração, que chama de catarse revolutiva, catarse resolutiva e catarse evolutiva, que pressupõem o conceito de catarse de integração parcial. De qualquer maneira, é a evolução que dirá se a integração se realizou ou não, e se ela é parcial ou não.

Diante de tudo isso, de que modo nos expressaremos? Que Fulano na sessão de hoje chegou à reparação, se o termo não é exato para o que queremos descrever? Que Sicrano atingiu hoje uma catarse de integração, quer total, quer parcial, se só o tempo dirá se isso é verdade? Por essa razão adotei o nome *ação reparatória*, por falta de uma denominação melhor, mais ampla, distante um pouco mais do significado específico do vocábulo psicanalítico "reparação", que engloba qualquer tipo de catarse de integração, mas se refere ao momento particular da dramatização em que essa ação é claramente visível e indiscutivelmente presente, mais que um simples efeito catártico. Em outras palavras, *ação reparatória* define o momento da dramatização em que um papel imaginário conservado se transforma em papel psicodramático espontâneo e criativo, abrindo caminho para a catarse de integração, que por sua vez será visível apenas na evolução do processo.

Termino aqui este longo percurso transferencial tentando uma *ação reparatória* com este esboço de uma pequena parcela de uma teoria da técnica psicodramática, resultado de uma aflição pessoal em perceber no aluno de psicodrama — a quem dedico este capítulo — uma angústia de achar que não se tem como aprender o pulo do gato do psicodrama. E é porque compreendo as suas incertezas e perplexidades, por tê-las vivenciado também na própria pele, que não quero me postar diante dele como um Sherlock tupiniquim de cachimbo de pau-brasil no canto da boca torta, a tamborilar nervosamente os dedos sobre a mesa e a dizer em linha reta do nariz britanicamente empinado à cabeça humildemente inclinada à minha frente: “Elementar, meu caro Watson”.

4. Paixão, criação e fantasmas: um preâmbulo

A paixão de Julieta não poderia acabar bem, encurralada que estava entre tantas proibições e impedimentos. Seu fantasma vaga hoje no mesmo limbo de Ofélia e Desdêmona, o destino trágico sem nenhuma saída, que nos dias atuais seria matéria jornalística de seção policial, espremida entre esportes e obituário. Até mesmo a Bela Adormecida e Branca de Neve dormem virginais o sono da morte, antes de serem despertadas pelo beijo casto de seus respectivos príncipes adolescentes.

A Paixão de Cristo, por sua vez, nos fornece o modelo ocidental cristão em que uma via-crúcis com desfecho mortal pelo sacrifício seria obrigatória e necessária à redenção, à vida e à ressurreição.

De Cristo a Julieta, de Desdêmona a Branca de Neve, a história das paixões materializa-se numa longa cadeia de suicídios e assassinatos, que não lhes deixa margem de sobrevivência. A paixão parece condenada a morrer brutalmente no exato instante em que nasce e a viver tão somente na memória fugaz do coração dos homens ou na marca perene das obras de arte, seja pela tinta na tela, pelas notas na pauta ou pelas palavras gravadas nas páginas do romance.

A paixão hesita entre vida e morte. Entre sua condição criativa e sua força paralisante. Dirige-se tanto ao nosso anseio de integrar o que há de mais rico em nossa condição humana quanto aos nossos fantasmas mais íntimos e destruidores mal personificados. O peso de tal contradição é capaz de transformar um encontro sublime na mais negra sensação de tragédia pessoal. Shakespeare reeditado. Prazer transmutado em dor.

Ao mesmo tempo que a paixão carrega em si o germe da morte, também representa a não aceitação humana dessa morte que espreita o fim dos dias, simbolizando o esforço de superá-la e fornecendo um tempo breve de exercício de luta contra ela. O parceiro, na paixão, é simultaneamente o seu instrumento de combate, de superação e de derrota nesse terreno e momento de preenchimento e solidão, encontro e desencontro, finitude e eternidade.

O renascer cíclico do desejo cria em si mesmo a impossibilidade de saciá-lo perenemente e força o confronto com as fronteiras do possível. Em outras palavras, no curso de seu desenvolvimento, o ser humano um dia acorda para si mesmo e aprende, ainda bem pequeno, a distinguir a própria imagem da imagem do outro. É nesse instante que ele começa a experimentar os movimentos existenciais de seus primeiros papéis sociais no contato com esse outro. Filho-mãe, só para dar aqui o exemplo mais óbvio. A sua autopercepção, portanto, está indissoluvelmente ligada à resposta desse outro. O conhecimento de si mesmo e de seu mundo circundante acontece harmônica e simultaneamente, assim como o som compacto de um acorde nas teclas de um piano corresponde a diversas notas musicais diferentes tocadas ao mesmo tempo. Talvez seja essa uma parte da harmonia do universo, em que ocupamos um lugar importante para a sua sonorização, embora bemóis. No entanto, quem não quer deixar de ser um mero acidente melódico nessa sinfonia e se transformar, senão na própria música, em seu genial compositor?

Nesse interjogo de experimentação mútua, o desejo da criança através daquele papel social que ela começa a esboçar esbarra inevitavelmente no desejo do outro, que lhe impõe imediata e automaticamente os próprios limites. E a criança a esse outro num segundo movimento. E esse outro de volta para a criança num terceiro. E assim interminavelmente.

Não é difícil entender que esse processo é o berço de nossas plenitudes e também, é claro, de nossos vazios mais profundos. É nesse ato contínuo de ação-resposta que qualquer relacionamento se estrutura, configurando nossas percepções e nossas escolhas, desejo contra desejo.

Suponhamos agora que, nesse jogo de forças, determinado desejo tenha de refluir para dentro dessa criança hipotética em razão da magnitude do limite imposto pelo outro. Se considerarmos que, ao mesmo tempo que se experimenta o mundo em torno, também se exercita a imaginação, o desejo que reflui se conserva na fantasia em realizações e não realizações idealizadas. Tal é, consequentemente, o resíduo localizado em algum ponto da nossa história, em alguma maneira de relacionar-se, referido a algum personagem ou personagens da nossa vida, que dá contorno a algum tipo de vazio que tentamos preencher em outras relações, sobretudo através das paixões. Seriam esses os fantasmas que nelas se interpõem, aqueles oriundos de nossos desejos não realizados e que se conservam em papéis imaginários, papéis esses que um dia tivemos de construir dessa maneira porque não pudemos atuá-los. São papéis imobilizados à espera de quem possa complementá-los, imersos que estão numa aura de impossibilidade porque estão sempre dirigidos a um vínculo residual.

Por isso mesmo, a paixão é uma relação direcionada àquele que não está presente. É irreal porque estruturada sobre as feridas do desejo. É um duelo de fantasmas e, como tal, sua riqueza acumulada se esvairá num sopro. Não sobreviverá. Cumprirá o seu destino de condenação.

A par dessa vertente imaterial da paixão que lhe aponta o caminho da morte e da qual muito se tem falado, vive em sua sombra um brilho oculto que lhe dá esperança e alento.

Se de um lado é verdade que carregamos uma bagagem, muitas vezes pesada, de tais resíduos capazes de distorcer nossa percepção na esteira do desejo não satisfeito, também convive com eles, dentro de nós, um espaço criativo que nos é próprio, livre e desimpedido de tais contaminações. É esse espaço criativo que nos permite a fantasia e a arte sem compromissos cegos quer com o lirismo, quer com a sátira; quer com o ideal helênico da forma e da beleza, quer com o resultado *kitsch*; quer com a ária cristalina, quer com o grito desafinado.

A criatividade enjaulada pela cultura se debate dentro de nós à procura de uma via de acesso que dê saída ao artista, ao gênio, ao deus que somos todos nós. A consciência que temos ou que conquistamos dessa força interior, que caracteriza o humano, é a nossa única posse verdadeira e intrínseca que nenhum poder alcança. A loucura é o último refúgio da fantasia em perigo na forma de delírio, sinalizando a ruptura desse equilíbrio. Já não sou mais livre para criar.

Nessa medida, a paixão também representa uma luta acirrada contra a loucura, mais que só contra a morte. Intuitivamente nos aliamos ao ser por quem nos apaixonamos e fazemos dele um intermediário para nossos desígnios criativos, uma função da paixão. Exercitamos nela tudo aquilo que nos foi vedado e que nos vedamos, em explosão de timbres e tonalidades. Não é à toa que a paixão nos parece tão brilhante e colorida, mesmo porque, se assim não fosse, não estaria nos mostrando os seus aposentos iluminados onde não podem vagar os fantasmas que habitam os seus porões. A paixão não pode não ser ambivalente.

O mergulho a que nos dispomos nesse encontro apaixonado com o outro nos obriga a encontrar lá no fundo a própria face. Esse encontrar-se tão intenso e abrupto consigo mesmo, quer fantasmas, quer criação, acaba por nos lançar na impossibilidade inebriante de manter tal estado de vertigem sem um movimento interno de rearranjo, sem um reaprendizado mais distanciado no dia a dia dessa intensidade existencial. É justamente nesse ponto que a paixão cumpre o seu papel e se desintegra.

A partir desse momento, a incorporação criativa em que fomos capazes de viver se multiplica em nossa constelação de papéis como algo novo. Ao mesmo tempo, dependendo de quanto nossos velhos fantasmas foram hábeis em nela nos assombrar, o gosto amargo de nossos vazios fica ressaltado num contorno em busca da elucidação da imagem que nos falta. A falta está mais clara e quem sabe mais urgente.

Somos devolvidos ao solo que nossos pés tocam com fios-terra de um universo povoado por anões, príncipes, cavalos, reis, maçãs, rocas, feiticeiras, Brancas de Neve e Belas Adormecidas. Procuramos, num compreensível impulso humano, encontrar sentido no entrelaçamento entre esses dois polos. Mas o que nunca saberemos com certeza, porque os contos de fadas não nos dizem, é o que se passa de fato nos sonhos seculares das princesas por trás de seus olhos fechados, quem sabe semicerrados.

5. O caráter ambivalente das paixões: um aprofundamento psicodramático

Todo Otelo tem o seu Iago, e é justamente por lhe dar ouvidos que ele acaba matando a sua Desdêmona.

Entre vida e morte, a paixão se debate entre a sua função transformadora e a sua força paralisante. Entre criação e transferência (conserva, não criação), que tem gravada em seu íntimo a voz venenosa de Iago, capaz de transformar um encontro transcendental em tragédia shakespeariana. Essa aparente contradição da paixão muitas vezes mede a sua intensidade não pelo grau do encontro, mas pela dor que ela causa ou que pode vir a causar, embora nem por isso chegue a extinguir o desejo de revivê-la ou de reacendê-la, nem que seja em outro momento ou em outro lugar, com a mesma ou com outra pessoa.

As paixões são como os poetas malditos, que antes de tudo são poetas e depois malditos. Mal ditos. Amaldiçoados. E talvez, por isso mesmo, tão amados.

As paixões são antes de tudo paixões, mesmo que depois amaldiçoadas. Elas movem o mundo e os homens se movem a persegui-las, mesmo que as reneguem, assim como Galileu renegou a Terra que se move depois de descobrir que ela não era o centro do Universo: "Eppur si muove". A ambivalência de Galileu, negando o que passou a conhecer, defendendo a sua pele da fogueira da Inquisição, muito se parece com a ambivalência do apaixonado, que coloca seu objeto de paixão no centro ou na periferia do seu átomo social, validando-o ou desqualificando a sua força e o seu movimento. A ausência de mutualidade, sociometricamente caracterizada pela distorção perceptual ou pela pouca clareza na emissão de mensagens para o outro, guarda relação íntima com a persistência de um vínculo residual na relação em questão. Em outras palavras, a direção vincular se faz no sentido do complementar interno patológico[87], ou seja, no campo imaginário e, portanto, transferencial. Daí a dor, o vazio que não pode ser preenchido e em que se tenta encaixar a qualquer custo o alvo da paixão. É como querer completar o volume de um cubo com uma esfera, sem deixar espaços nem lhe alterar a forma. Uma impossibilidade física e geométrica. Quanto à paixão e à transferência, uma impossibilidade afetiva e efetiva. A dor é intensa porque transferencial.

A paixão é ambivalente, pois nela convive essa dor transferencial e paralisante com o desejo de ruptura ou a própria ruptura do casulo constituído pelos papéis imaginários não vividos ou não atuados, que se transformam num esboço de projeto e de possibilidades. É o vislumbre de um novo *status nascendi* espontâneo e criativo para aquele modo relacional cristalizado transferencialmente, com promessa de perpetuação através dos vários papéis sociais. É como a intuição ou o desejo de uma catarse de integração que não se deflagra. A paixão em si sintetiza vida e morte, encontro e desencontro, preenchimento e solidão. Junta no mesmo saco a sensação da eternidade do momento com a crueza da impossibilidade de sua perpetuação. Grava e quase imediatamente desgrava a sensação corpórea de preenchimento e falta e a relega a um referencial deslocado na memória e na lembrança, que nem sabe se reconhece mais sequer como saudade.

O modelo arquetípico ocidental cristão da paixão percorre a via-crúcis dolorosa de Cristo nas 14 estações em que ele cai e se levanta, até o vinagre e os pregos da crucificação. É o martírio por amor levado ao grau extremo da purificação pela morte que desemboca em ressurreição e vida. É a redenção pelo sofrimento.

O estudo da paixão é, portanto, do ponto de vista psicodramático, um estudo da eterna luta entre a transferência e o potencial espontâneo-criativo do homem, que tenta viabilizar por meio de seus papéis sociais o desejo conservado em seus papéis imaginários. A lição do apaixonado é descobrir que a vida se impõe com mais força e acaba por se sobrepor à morte, enquanto momento vivido intensamente e por inteiro. É a possibilidade dentro da impossibilidade, ou seja, sentir que se supera a morte sabendo ao mesmo tempo que não se supera a morte. É o encontro com o outro e consigo mesmo — a revelação vivida da suprema ambivalência humana que jamais se resolve.

Romeu e Julieta, diante da impossibilidade de voltarem a se encontrar na vida, acabam por escolher o "encontro" na morte, que nada mais é que o definitivo desencontro, em que as sensações e os desejos não têm nenhuma ressonância pela ausência completa de qualquer vínculo.

A paixão resume em si mesma o impasse do desejo *versus* a impossibilidade de saciá-lo, em razão de seu renascer contínuo. Podemos entender o desejo como a fonte de aquecimento para qualquer ato-ação no mundo. Articulado com a percepção, perceptual do ponto de vista sociométrico, configura-se como o iniciador de qualquer movimento existencial. É o deflagrador de seu *status nascendi*.

Levando em conta tais considerações, como entender e esclarecer pela ótica psicodramática, evitando um círculo hermético, as conexões da paixão com a teoria da espontaneidade-criatividade, a teoria de papéis e a sociometria, o tripé básico da teoria moreniana?

A tentativa de responder a essa pergunta se inicia no processo indissociável do reconhecimento do eu e do outro, que envolve um jogo complexo entre desejo e interpolação de resistências[88], entre a estruturação de papéis sociais e papéis imaginários e a consequente possibilidade de cristalização de transferências.

O ser humano, no caso a criança, experimenta o outro em ação em seu processo de desenvolvimento. Para conhecer esse outro e a si mesma, articula sua percepção com seu desejo em dado momento e inicia um aquecimento que resulta em determinado modo de desempenhar um papel social, que esboça na direção daquele que a recebe, ou seja, daquele que se presta a desempenhar o contrapapel social correspondente. Por sua vez, o modo de desempenhar esse contrapapel social é permeado pela percepção e pelo desejo desse outro, que impregna o desempenho desse contrapapel social das interpolações de resistências necessárias para se estabelecer os limites do outro. Em outras palavras, as interpolações de resistências, vivas nesse processo relacional, configuram a fisionomia desse outro no que diz respeito ao momento relacional em questão. É desejo contra desejo, percepção contra percepção. Como a criança também interpõe resistências à ação-resposta desse outro, em função do seu desejo, inicia-se um processo infindável de ação e de resposta, de um lado e de outro, a que chamamos de relacionamento humano, mediado pelo jogo de papéis sociais correspondentes e de contrapapéis, tecido pelas ações, respostas e contrarrespostas. Tal movimento estrutura um perceptual sobre o próprio desejo e o desejo do outro, sobre as próprias escolhas e as escolhas do outro para aquele momento relacional, o que — em última análise — contribui para uma parcela do conhecimento de si mesmo e do outro naqueles papéis e contrapapéis sociais, naquele *modus operandi*: a interpolação de resistências num polo e no outro é o referencial de realidade daquela relação naquele momento, que ajusta a medida do desejo. Eu me conheço e conheço o outro na medida do meu desejo e da possibilidade do meu desejo em face do desejo do outro; e do desejo do outro e da possibilidade do desejo deste em face do meu desejo. Esse é o *status nascendi* de perceptual e de escolha, caracterizado sociometricamente.

A parcela de desejo que não pode ser atuada em razão da interpolação de resistências do outro reflui desse papel social, podendo configurar um papel imaginário estruturado por esse resíduo de desejo.

O refluxo desse movimento existencial, impresso pelo desejo para o espaço imaginário, internalizado a partir de interpolações de resistências, não configura necessariamente transferência. E aqui tocamos um ponto de extrema sutileza, imponderável e incapaz de ser quantificado: o de determinar qual é a combinação do desejo de um com as interpolações de resistências do outro capaz de se delinear como transferência. Dito de outro modo, por que algumas vezes o desejo, ao se chocar com a barreira das interpolações de resistências, é o *status nascendi* de uma transferência e em outras ocasiões, não? Por esse viés, teríamos de rever os próprios conceitos de papel imaginário e de papel psicodramático para responder satisfatoriamente a essa pergunta.

Se, por um lado, papel imaginário é descrito como sendo um papel não atuado, com frequência ele é vinculado necessariamente à transferência. Assim, acaba se entendendo que ele nada mais é que o resultado do *status nascendi* desta dada transferência, que permanece conservado no indivíduo e não atuado, porque atrelado a determinado papel complementar interno patológico. Ou, segundo uma concepção de Aguiar, a um vínculo residual. A não atuação e, portanto, a falta de uma ação espontânea e criativa, que tem por trás um desejo sem complemento nos contrapapéis sociais, fazem através do efeito cacho ("*cluster*") que movimentos existenciais distorcidos por um perceptual distorcido se realizem em outras relações, através de outros papéis sociais do indivíduo em questão, e que constituem, em última análise, o lócus no aqui e agora onde se detecta a transferência.

Por outro lado, o papel psicodramático é descrito como sendo aquele que é jogado no cenário psicodramático e tem por principal função resgatar o papel imaginário não atuado, servindo de ponte entre este papel imaginário e os papéis sociais, numa explosão espontânea e criativa, cuja expressão máxima é a catarse de integração.

Fica, porém, uma dúvida. Se sua função principal é esta, que é o parâmetro principal de sua definição, ela só aparece no cenário psicodramático? Ou, dito de outro modo, a função psicodramática é privilégio das sessões de psicodrama?

Para responder a esta pergunta, teríamos de admitir que existem papéis imaginários transferenciais e papéis imaginários não transferenciais[89], o que implica ampliar a classificação de papéis — ou teríamos de aceitar que os papéis psicodramáticos não existem apenas no cenário psicodramático, sendo definidos apenas pela sua função, sem nenhuma delimitação técnica quanto ao contexto em que são jogados.

No primeiro caso, a vantagem da distinção entre papéis imaginários transferenciais e papéis imaginários não transferenciais é conservar dentro da definição de papéis imaginários o seu caráter de não atuação e abrir uma brecha para explicar a facilidade com que muitos papéis nunca jogados anteriormente podem ser desempenhados, por exemplo, por meio de jogos dramáticos, no cenário do psicodrama.

Aqui teríamos exemplificada uma maneira de jogar papéis imaginários não transferenciais, ou seja, papéis facilmente atuados a partir de um pequeno esforço espontâneo e criativo, *papéis de fantasia*, se quiserem defini-los assim.

Lembrando que papéis imaginários já foram empregados (e por muitos psicodramatistas ainda o são) como sinônimos de papéis psicodramáticos ou psicológicos ou fantásticos (estes, às vezes, referidos a papéis delirantes), o termo fantástico, obviamente ligado a fantasia, parece — em sua sinonímia original — querer englobar justamente a possibilidade de jogar papéis num espaço espontâneo e criativo "livre de transferências", como a imaginação infantil, o que não é absolutamente verdadeiro. Ora, todos sabemos que os jogos da imaginação infantil também podem ter seu viés transferencial, quer porque envolvem transferências positivas, quer porque têm em si uma função elaboradora e reparadora. Basta dar o exemplo do significado dos contos de fadas. Assim, sempre restará uma incerteza quanto ao fato de esse jogo de papéis imaginários não transferenciais ser total e realmente livre de transferências. Essa é a desvantagem. A de sermos inexatos se criarmos o termo papel imaginário não transferencial. Ele pode ser realmente detectado, na prática, com razoável segurança? De qualquer modo, o que admitimos aqui é um lócus imaginário em que transitam papéis não atuados, que podem desabrochar em papéis psicodramáticos e papéis sociais com relativa facilidade. Assemelha-se, numa analogia com conceitos psicanalíticos, sem que se superponha a eles, à diferença de esforço de fazer emergir para o consciente aquilo que está no pré-consciente e não aquilo que está no inconsciente, um caminho indiscutivelmente mais desimpedido.

De qualquer modo, se admitimos essa nova classificação, mesmo com as imprecisões apontadas, a resposta à pergunta se a função psicodramática é exclusiva do cenário psicodramático é negativa, porque os papéis imaginários não transferenciais (se é que eles existem mesmo) podem ser e serão jogados fora dele e nem por isso deixam de ter uma função psicodramática, a de ponte com os papéis sociais, por um atalho espontâneo e criativo sem a intervenção da técnica. Por esse raciocínio, apenas os papéis imaginários transferenciais terão de se transformar em papéis psicodramáticos no cenário do psicodrama para resolverem as transferências ligadas aos papéis sociais de nosso dia a dia. Só estes, por conseguinte, é que serão mediados pela técnica psicodramática.

No segundo caso, o de aceitar que os papéis psicodramáticos não existem fora do cenário psicodramático, esbarramos num problema conceitual não menos complexo, que é a ampliação do conceito do que é e do que não é psicodramático, exigindo uma delimitação precisa dos contextos filosófico, teórico e técnico nos quais poderia gravitar a denominação "psicodramático". Sem tal delimitação, corremos o risco, que se repete na produção científica do psicodrama, de enviesar o discurso científico amputando os rudimentos de uma metodologia. Aliás, Santos foi o primeiro psicodramatista a localizar esse problema, no Brasil, e a nos alertar para a repetição de tal escorregão em nossas formulações teóricas, enfatizando a necessidade de situar o patamar do qual se fala, como vimos no Capítulo 1.

Assim, aceitar que os papéis psicodramáticos existem apenas no cenário psicodramático seria situar esses papéis não só no campo da teoria geral do psicodrama, porque se inserem numa classificação da teoria de papéis, como também na teoria da técnica, pela implicação prática que essa conceituação nos traz, ou seja, seu caráter instrumental. Do ponto de vista da formulação científica, o papel psicodramático acaba tendo também uma função de ponte nesse caso específico, ou seja, entre teoria e técnica, uma metafunção. Compreendê-lo apenas por sua função original seria, desse ângulo, devolvê-lo exclusivamente ao lugar que ocupa na classificação da teoria de papéis?

Ora, não podemos esquecer que papel dramático é uma categoria de papel cuja origem é o teatro tradicional, sendo portanto um papel desempenhado por um ator a partir de um texto que não lhe pertence, mas cujas coordenadas ele encarna na representação de uma peça, para um público específico.

O papel psicodramático tem seu berço no teatro espontâneo de Moreno e na sua variação e progressão, o teatro terapêutico. Esse argumento nos permite afirmar que o papel psicodramático tem seu lócus exclusivo no cenário psicodramático.

Naffah Neto nos diz que "do papel dramático, conservado, estratificado e perpetuador de um drama deslocado do ator, chegamos ao papel psicodramático que retoma e focaliza num mesmo eixo o ator e o drama como duas partes implicadas entre si, possibilitando a emergência da espontaneidade e da criatividade e a retomada pelo ator de seu sentido verdadeiro: o de agente"[90]. E ainda: "[...] é o trabalho da dramatização, que, condensando num mesmo espaço simbólico a sociedade, o grupo e o indivíduo, produz a transformação de papéis sociais em papéis psicodramáticos".

Parece claro, portanto, que papel psicodramático se define por sua função articulada ao seu lócus, que é o cenário do psicodrama, do qual é indissociável.

Por outro lado, retomando Naffah Neto, que em 1979 reformulou o conceito de papel imaginário, diferenciando-o pela primeira vez de papel psicodramático, podemos estabelecer a seguinte cadeia de reflexões:

1. Na passagem do primeiro para o segundo universo infantil — a emergência dos papéis sociais nesse ponto de diferenciação entre real e imaginário —, a atividade imaginativa "tende a ser comprimida para um espaço restrito e isolado". Corresponde ao jogo de oposição entre desejo e interpolação de resistências.
2. Em consequência surgem papéis "circunscritos a um mundo imaginário" que "se opõem aos papéis sociais". A esses papéis Naffah Neto denominou imaginários — são papéis não atuados e passíveis de resgate pelos papéis psicodramáticos.
3. Tais papéis psicodramáticos rompem esse cerco "encarnando a imaginação conservada fazendo-a verdade".

Naffah Neto ainda nos deixa outra pista quando diz que "[...] identificar a imaginação comprimida e colonizada com a imaginação criativa é reduzir a um denominador comum momentos radicalmente diferentes de um processo que se transforma à medida de seu próprio fluir".

Em outra direção, Aguiar formula os conceitos de vínculos atuais e de vínculos residuais, definindo os primeiros pela sua concretude ou plano de realidade e os últimos pela sua localização no passado e desativação no presente. Esses vínculos residuais poderiam permanecer imprimindo um modelo relacional, que acaba sendo extrapolado para outros papéis a partir de uma "imagem sociométrica de relações bipessoais ou grupais vivenciadas no passado"[91]. Aguiar considera também que uma relação transferencial seria um caso particular de persistência de um vínculo residual.

Comparando o encadeamento de raciocínio que parte de Naffah Neto com o que se origina de Aguiar, podemos dizer que ambos colocam, implícita ou explicitamente, a transferência como algo que tem o seu lugar, mas não ocupa toda a dimensão, quer do papel imaginário (Naffah Neto deixa lugar para a imaginação criativa), quer do vínculo residual (Aguiar considera a transferência um caso particular de sua persistência e, portanto, possível, mas não obrigatório).

Assim, retomamos a questão: considerar ou não a existência de um papel imaginário transferencial e de um papel imaginário não transferencial, já que ficou claro que o papel psicodramático tem uma delimitação clara de contexto e que há um espaço vago de definição em que transita a imaginação criativa.

Nesse espaço vago a imaginação pode ser atuada com mais facilidade, sem precisar necessariamente da intermediação dos papéis psicodramáticos, que se revelam "papéis imaginários não transferenciais", o que não é cem por cento verdadeiro, como já comentamos. Por essa razão, prefiro chamá-los de ***papéis de fantasia***, para diferenciá-los dos papéis imaginários — estes, sim, ligados à transferência, a vínculos residuais e a papéis complementares internos patológicos — e dos papéis psicodramáticos. Assim, estes últimos, além de sua função resgatadora dos papéis imaginários para o contexto social, poderiam — embora não obrigatoriamente — encarnar também os ***papéis de fantasia***, naquelas situações do cenário psicodramático exemplificadas anteriormente (jogos, por exemplo), em que a espontaneidade e a criatividade brotam sem grande esforço. Tais ***papéis de fantasia*** poderiam ser jogados fora do cenário do psicodrama, onde cumpririam uma "função psicodramática" espontânea e não intermediada pela técnica. Essa seria a margem de atuação espontânea e criativa da paixão, livre de transferências e dos fantasmas complementares dos vínculos residuais. Representaria o outro lado, o sadio, da sua ambivalência. Tal espaço criativo é a única posse verdadeira e intrínseca de cada um de nós, espaço esse que nenhum poder alcança sob pena de loucura, como já afirmei no capítulo anterior. Repito que o delírio é o último refúgio da fantasia em perigo e, dessa forma de olhar, a paixão também representa uma luta conjunta contra a loucura, mais que só contra a morte.

Não é outra a função do objeto da paixão senão a de perpetuar um estado de protagonista na busca e na defesa desse espaço criativo. A paixão só perde em força para a transferência. Daí a sua ambivalência.

Se os dramas privados dos apaixonados coabitam o coinconsciente daquela relação, um compartimento privado da paixão, iniciadores emocionais ligados a vínculos residuais se conjugarão fatalmente aos iniciadores físicos de um desejo, também residual, e aos iniciadores ideativos[92] desse desejo conservado num papel imaginário estático em busca de movimento.

É esse o triste fim da história. História de uma paixão. Das paixões. Assim morreram imobilizados Romeu e Julieta, separando e unindo Montecchios e Capuletos, substantivando dentro de nós a mesma tragédia que nos coloca pedras drummondianas no meio do caminho de Verona, em desvios desnecessários.

6. Subjetividade e psicodrama: direção cênica da loucura

"Ninguém é doido. Ou, então, todos."[93]

O conhecimento de uma teoria, o domínio de uma técnica e o mergulho em si mesmo por meio de um longo e redicivante processo de psicoterapia, como todos nós já sabemos, não são suficientes para isentar o psicoterapeuta e, em particular, o psicodramatista do plano de sua subjetividade quando diante daquele que se convencionou chamar de seu cliente ou paciente.

Mesmo que ele tenha claro que a cena dramática não passa da objetivação atuada da subjetividade, é impossível que ele não concorra de alguma forma para a sua construção, até naquilo que lhe pareça mais singular. Desse ponto de vista, a cena dramática não pode estar desvinculada do conceito de cocriação.

A concepção do psicodrama como teatro terapêutico, por sua vez derivado do teatro espontâneo, estabelece definitivamente, como sua base, a criação coletiva, para a qual concorrem o protagonista, o diretor, os egos-auxiliares e a plateia, em proporções variáveis a cada momento do desenrolar da dramatização, uma coconstrução de múltiplas subjetividades, embutidas no mesmo aparente projeto dramático. O mesmo se pode dizer das situações de atendimento individual bipessoal, em que os egos-auxiliares e a plateia não estão presentes.

A primeira questão que se coloca, portanto, é a da convergência ou não de escolhas e de perceptuais dos diversos sujeitos envolvidos em um mesmo projeto dramático[94]. Ou, mais profundamente, que a trama aparente ou manifesta de cada um é capaz de direcionar o grupo ou a díade para uma trama oculta que se desvela na ação e dá sentido não só aos personagens, mas ao próprio grupo ou à própria díade, criando uma condição de compartilhamento como consequência, conjunto de acontecimentos que em si mesmo se configura como o projeto dramático latente, só então vivenciado em sua totalidade expressiva e por fim aclarado. Poderíamos dizer também que o caminho percorrido por escolhas e perceptuais num plano como que intuitivo e que se concretiza vivencialmente muito mais que racionalmente num projeto dramático, que contém em si mesmo o drama privado de cada um que, por sua vez, se revela como o drama coletivo do grupo ou como o drama inter-relacional da díade (que em psicanálise é explicitado no par transferência-contratransferência) e dá sentido à trama, nada mais é que o percurso coinconsciente do grupo ou da díade, ou seja, suas dinâmicas específicas.

Em outras palavras, tanto o grupo quanto a díade composta por paciente e terapeuta contêm os dramas privados de cada um, emergindo através do protagonista, configurando aquilo que era coinconsciente até então.

Esse é o ponto que prevalece sobre a interferência da subjetividade do psicodramatista na cena de um protagonista. Deixando mais claro, poderíamos dizer que uma cena temida do diretor, ou seja, suas transferências, poderia evitar a montagem ou o transcurso da cena de seu cliente. Pela mesma razão, o diretor poderia, em vez de evitar a sua cena temida, "escolhê-la" para "resolvê-la", não sendo ela a prioridade do pretenso protagonista. Por outro lado, determinado modo de ver o psicodrama naquele momento privilegiará tal ou qual aspecto do percurso de seu cliente na cena ou fora dela, podendo ser outro o oferecimento vivencial em outro momento da evolução ou da reflexão do e sobre o papel de psicodramatista. Por exemplo, o diretor pode estar numa fase em que predominantemente trabalha com cenas únicas, ou só com cenas múltiplas, em que compartilha mais ou em que interpreta mais frequentemente, ou em que "puxa" para o resgate de figuras internas ou acentua a consciência daquilo que falta etc. Se imaginarmos que o mesmo protagonista, num mesmo momento, estivesse diante de psicodramatistas diferentes, poderiam ser montadas cenas diferentes ou cenas semelhantes a partir do mesmo conteúdo do discurso, com diferentes desenlaces e diferentes análises ou compartilhamentos. Ele poderia vivenciar, dependendo do diretor em questão, da mais delicada ternura ao ódio mais avassalador, da emoção da proximidade compartilhada à análise mais fria e racional — e até à catarse de integração. Não há uma objetividade capaz de constituir o centro do alvo da alma do protagonista.

Diante da inevitabilidade da interferência da subjetividade do psicodramatista ou de qualquer outro terapeuta, a única possibilidade é cocriar dentro de um mesmo projeto dramático. Para tanto, é preciso acreditar que o diretor na verdade não tem o poder de escolher nenhum itinerário para o protagonista. Aquilo que ele possa privilegiar é parte de um perceptual não bem definido que é sinalizado de alguma forma e de alguma forma é captado e assim objetivado na cena. A escolha da cena já é, portanto, o primeiro passo de uma cocriação coinconsciente.

Um segundo ponto a ressaltar, que por sua vez também está contido na primeira questão, é o da aparente divergência de origem do projeto dramático do diretor e do projeto dramático do protagonista.

Enquanto o diretor pode traçar um objetivo com base em uma diretriz teórica condizente com seu papel profissional — por exemplo, a de ajudar o protagonista a atingir a catarse de integração, visar a uma ação reparatória, auxiliar a emergência de *insights* ou abrir uma brecha em um sistema defensivo, dependendo da sua visão particular e do momento em que sua visão se particulariza de tal ou qual modo —, o protagonista parte do próprio desejo, fundado em suas impossibilidades e em suas próprias lacunas, visando à realização e ao preenchimento.

No entanto, diante da concepção de uma trajetória de cocriação coinconsciente, o projeto dramático que se desenvolve na dramatização se tornará comum em algum ponto do percurso. Embora seja verdade que existe um projeto dramático entre os dois, que envolve os papéis sociais de terapeuta e de cliente para um critério complementar de ajudar e de ser ajudado profissionalmente e, portanto, permeado por critérios teóricos e técnicos, esse projeto dramático é algo inerente à relação terapeuta-cliente em si mesma. Durante o desenrolar de uma sessão de psicodrama e, particularmente, durante uma dramatização, a esse projeto se acrescenta outro, o percurso do herói que se torna protagonista e que envolve, aí sim, também o seu terapeuta numa viagem comum, outro projeto dramático, para o qual conflui o drama privado de cada um dos dois na trama oculta enfim desvelada. O psicodramatista, pois, transitará simultaneamente em dois projetos dramáticos concomitantes, num dos quais desempenhará as funções do papel social de terapeuta, por força de contrato firmado claramente por critérios sociométricos onde será capaz de agir teoria e técnica (projeto dramático manifesto). No outro, ele estará aderido vivencialmente ao destino do protagonista (projeto dramático latente). Tudo isso, é claro, acontece ao mesmo tempo e permite ao terapeuta movimentos contínuos de proximidade e distância da situação protagônica.

Uma terceira questão de destaque é a da atuação, da definição e da quantificação daquilo que podemos chamar de loucura e de sua relatividade. A propósito disso, recordo-me de uma situação por mim vivida em que se intercruzavam verdades "absolutas" incapazes de resistir por muito tempo ao mínimo confronto.

Certa vez, veio me procurar para psicoterapia psicodramática individual bipessoal uma mulher separada, Marta. Ela tinha por amante apaixonado, havia longo tempo, um homem casado, descrito por ela como sensível e atormentado pela perspectiva de separar-se da mulher e de perder a convivência diária com os filhos já adultos. Muito mais tarde um adulto jovem, universitário, também veio a se tornar meu cliente, por meio de outros canais de encaminhamento, em atendimento individual bipessoal; descobri, durante seu processo, tratar-se do filho do amante de Marta, que na época já interrompera o seu processo psicoterápico. Uma de suas características era a grande admiração que devotava ao pai, considerado o grande ídolo incorruptível a ser imitado. Batizemos o filho de Renato.

Mais ou menos na mesma ocasião, também fazia psicoterapia comigo outra mulher, a quem chamarei de Ana, também atendida individualmente, que se apaixonou por um homem casado, que a abandonou um belo dia sem nenhuma explicação, deixando-a intensamente deprimida e sem nenhuma possibilidade de reencontrá-lo. Ana tinha em sua história a perda da mãe por suicídio, quando ainda era bem pequena, e ainda procurava explicações para o fato, vivendo em relação a essa mãe um intenso sentimento de abandono.

Ana e Renato tornaram-se um dia companheiros de um mesmo grupo de psicoterapia psicodramática e tinham entre si uma ligação muito forte e amigável. Ana era aproximadamente 15 anos mais velha que Renato. Este, nessa época, via como inevitável a separação dos pais e temia o que poderia acontecer à mãe se esta fosse abandonada, porque, segundo a sua versão, era dessa forma que ela se sentia.

Em dada sessão de grupo, Renato nos comunicou que viajaria de férias para outro país e seus companheiros combinaram levá-lo ao aeroporto no dia da partida.

Na semana seguinte, Ana marcou uma sessão individual e, aflita, me contou que no bota-fora de Renato ficou paralisada porque reconheceu no pai dele, que também estava presente no aeroporto, o amante que a abandonara. Não sabia o que fazer e o que dizer ao grupo e a Renato quando voltasse, porque sabia da importância que o pai tinha para ele.

Na sessão de grupo que se seguiu, Ana relatou o que tinha acontecido, porque não aguentaria a ansiedade de ter de esperar pelo retorno de Renato para dividir o sofrimento pelo qual estava passando.

Renato voltou ao grupo após um mês e ficou chocado quando soube quem era o amante de Ana. Já podia aceitar que o pai tivesse outra mulher. Tinha conhecido Marta e sabia dos projetos do pai de se casar com ela logo que conseguisse separar-se da mulher, mãe de Renato. Não podia evitar, no entanto, sentir-se traído pelo pai, porque era ele quem teria de cuidar da mãe infeliz e abandonada. E agora, mais essa, o pai não passava então de um canalha que ainda teve um caso com uma terceira mulher, Ana, diante de quem teve um comportamento covarde, indigno e indesculpável. Renato e Ana saíram da sessão arrasados.

Na outra semana, no grupo, Renato estava confuso e furioso. Interpelou Ana e disse que se confrontou com o pai, que negou ter tido qualquer envolvimento com ela. Qual dos dois estava mentindo? Ana não sabia o que dizer, ficando muito constrangida, compreendendo o sofrimento de Renato, lamentando o destino por integrarem o mesmo grupo, mas sustentando a sua versão. A sessão terminou num clima de grande tensão.

O grupo foi embora; fiquei eu também tenso pensando no que fazer, fechando as janelas da sala e revivendo cenas da minha vida que se intercruzavam com as desses meus clientes, tais como um intenso momento de abandono por que eu tinha passado recentemente, um casamento que eu tinha desfeito, ainda engasgado com conflitos que eu imaginava próximos daqueles que o pai de Renato vivia e o confronto que eu fazia comigo mesmo me chamando às falas. Saí do consultório e me encontrei de repente no meio de Ana, Renato e seu pai interpelando-a de dedo em riste, dizendo: "Diga na minha frente. Você me conhece?"

Abri de novo a porta, talvez com medo do escândalo (outras cenas de minha vida), e fomos os quatro para a minha sala. Num momento altamente dramático, Renato queria saber a verdade sobre o seu pai, que por sua vez estava empenhado em defender a sua relação com o filho. Ana desejava livrar-se da dor a qualquer custo e foi nesse instante que teve a certeza absoluta de que o pai de Renato era outra pessoa. Tratava-se de um falso reconhecimento. Estavam ali intimamente amalgamadas as cenas internas dos quatro, os nossos temores e as nossas "loucuras". Qual era a verdade naquele encontro-desencontro de subjetividades? Qual era o mais louco de cada um de nós? Que direção cênica dar a cada uma delas? Seria possível a cocriação de um projeto dramático num campo tão intensamente transferencial? Poderíamos defini-lo, no mínimo, como uma coexistência de "verdades" na falta de um consenso de "verdades"?

Esse exemplo é significativo de como "verdades" construídas e conservadas transferencialmente no arcabouço de papéis imaginários e até revividas através de papéis psicodramáticos (em cenas do grupo de Renato e Ana) podem se desfazer no confronto subjetivo de papéis sociais. No que diz respeito à revelação de tais verdades no processo psicodramático, a atuação da "loucura" na cena será revelada através dos papéis psicodramáticos, que resgatarão os papéis imaginários num novo *status nascendi*, desvinculado da transferência, como ponte para os papéis sociais, numa forma mais criativa de um modo relacional. Ou, então, não vinculada à transferência, pelo jogo de papéis de fantasia[95], uma nova categoria de papéis que propus ao discorrer sobre a paixão, que atua a imaginação criativa com mais facilidade, por não estarem vinculados a papéis complementares internos patológicos ou a vínculos residuais, como se vê, por exemplo, nos jogos dramáticos e nos jogos infantis. Desse ponto de vista, o termo "loucura" aplica-se, aqui, apenas ao inusitado, num mundo em que a normalidade não passa de um critério estatístico, que define o lugar onde a maioria das pessoas se encontra. Esse inusitado criativo pode assemelhar-se, aparentemente, ao inusitado não criativo da loucura cristalizadora em suas manifestações mais superficiais. A escolha livre e a falta de escolha definem a diferença.

Assim, teremos de considerar que em toda catarse de integração haverá necessariamente uma vertente de choque psicodramático e de onirodrama, se levarmos em conta que toda dramatização atua e revive a "loucura" e o inconsciente através dos papéis psicodramáticos.

Para isso, o diretor de psicodrama concorre com a função de diretor de cena, em que conjuga o papel de diretor do teatro tradicional no momento do ensaio e durante o desenrolar único da própria peça, estando a plateia já presente.

Dito de outro modo, o diretor de teatro tradicional, no ensaio, está ou pode estar presente no cenário, pode interromper a cena e dialogar com os personagens. Na encenação da peça propriamente dita, ele está ausente do teatro ou presente nos bastidores. O diretor de psicodrama está presente no cenário e dialoga com os personagens durante o próprio desenrolar da peça, podendo inclusive interpelar a plateia. Conjuga, portanto, o ensaio e a encenação final da peça num mesmo momento. Esse é o aspecto singular do psicodrama, que faz convergir teoria e técnica na direção cênica da loucura e dá substrato criativo à possibilidade do desenrolar do projeto dramático do protagonista, em que o próprio diretor está incluído, ampliando e limitando a sua mobilidade.

Mais um exemplo implacável da intromissão obrigatória da subjetividade do terapeuta no processo de seu cliente pode ser dado com o final de uma sessão de grupo, cujo tema da dramatização havia sido morte e a proteção de figuras parentais.

Um dos seus integrantes, um cliente relativamente novo e que quase nada sabia de minha vida pessoal, comentou, posteriormente, que eu compus um crucifixo com os três quadros dispostos em triângulo sobre a minha cabeça, quando eu estava em pé encostado na parede, emoldurado por eles, ao encerrar a sessão. A imagem lhe deu uma sensação de morte ligada à dinâmica do grupo.

A princípio, minha tendência foi a de não lhe dar muita atenção, atribuindo o comentário a um psicologismo desproporcionado aos acontecimentos do grupo.

Todavia, logo me dei conta de que os três quadros são fotografias antigas, que retratam um botequim, um armazém e uma quitanda, que pertenceram a meus avós. Neles, minha mãe e minhas tias, meninas ainda, estão presentes.

Acontece que não só esses meus avós desempenharam em minha vida um importante papel de proteção como convivi com eles quase 50 anos até falecerem em idade bem avançada, com um intervalo pequeno entre um e outro. E, além do mais, o dia em que ocorreu essa sessão é o mesmo em que terminei este livro — e, por isso, os últimos parágrafos deste capítulo constituem um adendo posterior. Justamente nessa data, pensei algumas vezes em meus avós e senti saudades deles. Era a data de seu aniversário de casamento. Espelho meu, há alguém mais emocionado ou "louco" do que eu?

7. Entrelembro, entrelembras, em nosso demoramento

"[...] esta vida era só o demoramento. [...] era mentira por verdade. [...] pois agora me entrelembro."[96]

Palavras há que começam pelo silêncio, grafadas que estão com um agá mudo inicial e titubeante. Hibisco, hexagonal, hidrossolúvel, hilariante, todas me parecem que antes de dizer hesitam entre o que escolhem me contar de suas flores geométricas diluídas em tanta graça.

Pautas há de silêncio em cada frase musical desenhada em signos, na partitura, pela mão caprichosa do copista. São símbolos de estranha escrita, que indicam com precisão a duração do mutismo instrumental responsável pela percepção do ritmo da melodia. Como, numa orquestra, as partituras de instrumentos diferentes, para cada música, raramente são iguais, os silêncios específicos não só também não coincidem, na maioria das vezes, como ainda representam a deixa para a voz do outro preencher o vazio e estabelecer um diálogo sonoro. Emudece o trompete no exato instante em que o acorde do piano impulsiona o crescendo da bateria, preparando a entrada grave do solo do trombone.

E, assim, estou diante de Paula, que me diz quanto gostaria de ter um companheiro que ficasse com ela até no silêncio. Não tendo o que dizer, querendo ou não, fico em silêncio, perguntando-me o que fazer nesse "maldito" papel de terapeuta, para não parecer estar me colocando na pele desse companheiro desejado.

Divago. Penso na minha filha pequena que veio de madrugada para a minha cama e dormiu abraçada comigo com toda a tranquilidade. Consigo dizer a Paula, retomando um tema já repisado, que o seu bem-estar continua dependendo da presença de um companheiro a seu lado.

Eu me sobressalto quando ela me responde, ao acusar uma sensação de vazio e ao se emocionar recordando o tempo em que essa sensação estava de tal forma presente. Surgia em momentos insistentes em que tentava, enquanto criança pequena, de madrugada, dormir na cama dos pais. Sua mãe não deixava que ela ficasse perto, então se abraçava ao pai, o que não era a mesma coisa.

Não sei exatamente por qual razão, se por vagas experiências anteriores com outros clientes, em que essa sensação se repetia, se por um cheiro de morte no ar, sei lá por que viés subjetivo, se por algum sinal indireto que ela me tenha dado e que tenha permanecido nas sombras de minha memória, antes mesmo de me dar conta, eu me surpreendo perguntando-lhe se já havia passado por alguma experiência de aborto. Na hora em que pergunto, lembro-me de que preciso telefonar para o corretor que me deve a apólice de meu seguro de vida.

Paula não só confirma como também localiza naquela época a mesma sensação de vazio que experimentava quando era impedida de permanecer abraçada à sua mãe. Sua fisionomia, ao me responder, transmite a revivescência da mesma dor. Aos poucos, a compreensão dos nexos entre tais momentos relacionais tão diversos, através de papéis sociais diferentes, permeados por sensações tão semelhantes, vai dando lugar a uma expressão de alívio até o sorriso e o riso, que compartilho em silêncio, sério, refletindo, porque busco em mim, na minha história, as razões intuitivas da minha compreensão de Paula e do meu entendimento de toda a situação, se é que isso é possível. Estamos ali intensos, parcialmente visíveis um para o outro, não necessariamente no mesmo foco. Nem por isso menos acompanhados.

Fernanda fecha os olhos em busca de algo perdido. Quase automaticamente, peço-lhe que deixe vir à mente quaisquer imagens e que — visualizando-as — me descreva o que vê como num sonho acordado.

Para meu espanto (felizmente os anos de profissão não me vacinaram contra o espanto), ela se transforma a olhos vistos e diz, tomada de emoção, com uma pausa olfativa para cada vírgula: "Sinto o cheiro do café molhado, de café seco, de terra revolvida pelo arado, de flor de café, de pasto, de flor de jabuticaba, de sol, de curral, de torresmo, de goiabada. Não sinto mais cheiros na minha vida. Nem de sexo. Só sinto o cheiro do meu cachorro".

Não preciso dizer que essa viagem, mais que pelo nariz, também me arrebatou e eu como que tentava, junto com ela, sentir ou adivinhar o cheiro de cada coisa nomeada.

Juro que se eu fosse terapeuta lacaniano pararia a sessão ali. Estou sentado à mesa da cozinha da minha casa diante de minha mulher. Colocamos algumas pendências em dia. Na mão dela, uma lata com o resto de um sorvete napolitano. Apenas uma colher comprida. Enquanto conversamos, sem nenhuma descontinuidade, ela me passa suavemente a parte de morango que sobrou no fundo, a minha preferida e à qual ela não se liga tanto quanto eu, como um tom róseo que reencaminha o diálogo para um suave acordo. A delicada trama que tece esses momentos de um relacionamento humano contrapõe palavras, frases, inflexões, expressões, gestos, postura corporal, movimentos, como um rescaldo de memória em que sentimentos e sensações, como que gravados em pedra pelo acetileno do desejo, de origem desconhecida, intuída ou mal percebida, gravitam entre dois procurando porto, acomodação ou qualquer forma de complementação, quer seja mendicante, quer seja impositiva, à procura de um sentido naquele vínculo[97] objetivado e atualizado, encontro-desencontro (aqui destituídos de seu sentido filosófico) de subjetividades.

O tempo intervém nesse processo menos como um marcador rígido, implacável metrônomo, a sinalizar a transitoriedade das coisas, acelerando os ponteiros da ansiedade, e mais como chama de aquecimento que dê lugar ao divisar e comunicar, entrelaçados, desse fundo difuso mesclado de vagas lembranças e mal formuladas querenças.

A lenta construção da intimidade se faz em torno de um eixo que define a prevalência dos critérios de escolha, que cada um aplica à relação e atende à complementaridade da medida do desejo. Essa base relacional constitui o campo possível de estruturação de um projeto dramático comum, que por sua vez circunscreve o grau de intimidade necessário e suficiente para a sua viabilização. Tal ponto de partida exige dos dois um esforço mútuo de percepção do alcance e da possibilidade dos seus próprios investimentos e os do outro, tanto nos planos afetivo e intelectual quanto no plano da ação concreta, que torna visível e viável a capacidade de sentir e de pensar, num resultado operativo que dá fluidez ao ato de se relacionar. É como a integração maravilhosa entre os estímulos proprioceptivos dos músculos e tendões e o sistema nervoso, que marca a direção e a forma exatas do próximo passo, num percurso de corrida, sem que precisemos nos preocupar e nem mesmo nos dar conta de tal sincronia. Apenas corremos e apenas nos relacionamos, cada um dos atos conjugado ao seu aparato harmônica e complexamente articulado, as partes entre si e o todo ao outro todo, desenhando um todo maior. As terminações nervosas das plantas dos pés aos neurotransmissores e à movimentação de íons para dentro e para fora da membrana celular e dos prolongamentos neuronais, até a resposta contrátil das células estriadas musculares, conjunto esse justaposto ao universo físico da dureza e consistência do solo, aclives, declives, pedras soltas, a qualidade mais ou menos escorregadia do terreno. Tal progressão está continuamente sob a avaliação automática ou atenta dos sentidos, que sinalizam permanentemente a segurança ou insegurança da empreitada, o que marca a diferença entre o avanço veloz, a lentidão de passos ou uma eventual queda ou parada.

A outra progressão, a relacional, que comparamos com os movimentos automáticos de uma corrida, é composta por um sistema que envolve desejo, memória, consciente, inconsciente, percepção, escolha, projeto, tempo, sentimento, sensação, pensamento, dedução, raciocínio, emoção, reflexão, avaliação, imaginação, fantasia e ainda permeado por coordenadas biológicas (sentidos, fonação, ações), modelos familiares e *scripts* culturais.

Este sistema, por sua vez, se articula a outro, constituído pelos mesmos elementos que configuram o outro e, por isso mesmo, por "ser" o outro, tem em cada uma de suas partes constitutivas uma singularidade que torna cada um desses sistemas único e diferente dos demais. Quando esses dois sistemas estão em contato, o todo maior do relacionamento entre os dois é, consequentemente, igualmente singular. Além disso, a noção de contato entre os dois terá de levar em conta até mesmo a ausência. O vínculo continua existindo a distância, pela simples lembrança ou pela saudade, pela falta, pelo desejo ou por qualquer outro sentimento ou sensação que a memória é capaz de evocar e o corpo, de gravar. Tal conjugação costurará a sucessão de momentos de presença e de ausência num processo que passará a ser revestido de uma história particular, regida por um código próprio e exclusivo, capaz de nomear entre os dois, com uma linguagem única, verbalizada ou não, cada detalhe ou cada sobressalto desse relacionamento — versão dobrada de subjetividades, posta em coautoria, num dicionário pretensamente de um idioma comum.

É inevitável que, na esteira desses movimentos, se entrelacem a concretude do presente e a virtualidade da ausência que tornará esse presente passado. O vaivém de uma dimensão para a outra ancora, acende ou sacia o desejo, capaz de pavimentar entre os dois um projeto dramático pontilhado pelos critérios de escolha que cada um aplica ao outro, quando estão juntos ou separados. Tal projeto, desdobrado em um par, manifesto e latente, tem parte de sua construção a dois, a partir dos momentos em que algo é partilhado na inter-relação, o que faz entrever a possibilidade do bom êxito da aplicação dos critérios de escolha, em que se supõe um caráter de mutualidade.

É assim, pois, que o andamento do ato de se relacionar dirá, em si mesmo, aos dois, pelo grau harmônico e dual de necessidades satisfeitas, se é viável ou não alimentar uma expectativa, se percebida como recíproca, de um modo particular de vinculação, para o que são selecionados o que se julga ser os papéis sociais mais pertinentes e adequados que o intermedeiam.

Por exemplo, viver dada relação configurará aos poucos, em dado momento ou no dia a dia, para um e para o outro, a coincidência ou não de sentimentos que levem a desejar que tal experiência seja vivida através dos papéis sociais de amigos, ou de amantes, ou de marido e mulher, desejo e critério de escolha esses que já trazem embutido um esboço de projeto dramático, que se concretizará ou não. Antes mesmo de se revelar um projeto, é tentada determinada complementaridade de papéis capaz de testar a satisfação do desejo e de projetá-la para um futuro.

Porém, outra parte da construção de tal projeto se faz na ausência do outro. Portanto, a participação de ambos no delineamento de tal caminho é apenas relativa e parcialmente virtual. Se, além disso, levarmos em conta que — para cada projeto dramático, inter-relacional por definição, que já não é nem pode ser integralmente construído pelos dois e comunicado a cada um em todas as particularidades que o desejo e a imaginação de um e de outro podem conceber — há, certamente, aderida a ele, uma dimensão individual latente, encontraremos aí a interseção entre consciente e inconsciente e seus inevitáveis desdobramentos.

Assim, até aqui, podemos vislumbrar que, para cada relação que se estabelece entre seres humanos, um jogo de papéis sociais — vivido através de determinada complementaridade — é o substrato da definição de um critério sociométrico de escolha. Às vezes, os papéis são dados, *a priori*, em razão de uma imposição social, o que não impede a mudança dos papéis sociais predominantes através dos quais se escolhe o ato de se relacionar. Em outras oportunidades, essa imposição social não acontece ou predominam papéis sociais iniciais de menor força impositiva. Nesse caso, a ausência de um padrão prévio para aquela relação permite uma criação de papéis sociais aparentemente mais livre desde o início, não exigindo a transformação de uma forma relacional em outra, no máximo impondo a reformulação de uma maneira de se relacionar em outra, mas através dos mesmos papéis sociais.

Imaginemos, por exemplo, que uma mulher se torne funcionária de uma empresa. Desde o primeiro dia de trabalho ela terá de se relacionar com seu chefe através de papéis sociais previamente dados, circunscritos à complementaridade chefe-subordinada ou patrão-empregada. Tal complementaridade contém em si mesma uma força dada, em parte, pela própria assimetria[98] do vínculo. Nada impede que ambos construam um projeto dramático paralelo ao projeto dramático ligado a seus papéis profissionais, que estabeleça entre eles a criação de novos papéis sociais. Digamos que eles se tornem amigos, ou amantes, ou venham a se casar e passem a ser marido e mulher. A transformação de um projeto dramático inicial em outro ou a criação de um segundo que pode predominar sobre o primeiro, como o descrito nesse caso, exigirá dos dois maior ou menor esforço, dependendo da característica do vínculo inicial (simétrico ou assimétrico) e da posição que cada um ocupa dentro dele.

O segundo caso, o de ausência de um padrão predeterminado ou de pequena força dos papéis jogados inicialmente, pode ser exemplificado por duas pessoas que se veem pela primeira vez ao se cruzar na rua. Aqui não há um papel social imposto a elas previamente ou, no máximo, podemos considerar que ambas se encontram naquele momento no papel social de transeuntes, o que não as obriga a uma complementação específica — a não ser talvez a de compor, ao mesmo tempo, naquele instante, um elemento a mais no cenário comum em que estão transitando. Se, ao se cruzarem, se lançam olhares, param, iniciam um papo e aceitam tomar um cafezinho juntos, esse será um ponto de partida inteiramente novo para qualquer projeto dramático que queiram construir entre si, envolvendo quaisquer papéis sociais que resultem de seus critérios sociométricos de escolha. Até aqui, podemos, então, considerar que:

1. Uma relação se constrói a partir de papéis sociais previamente determinados ou de papéis sociais que passam a ser delineados pelos envolvidos naquela inter-relação, direcionados pelo desejo de ambos e construindo, assim, um critério sociométrico de escolha. Ou, ainda, papéis sociais previamente determinados, mas de menor força impositiva, permitem com maior facilidade a transformação de um modo de se relacionar em outro, através de uma escolha de papéis sociais diferentes dos iniciais.
2. O jogo de papéis sociais que assim se estabelece, a partir do desejo de cada um e, portanto, de um sistema de expectativas que lhe é decorrente, permeado pela percepção que um tem do outro (perceptual), permite a construção de um projeto dramático.

3. Parte desse projeto dramático decorre de um acordo implícito e/ou explícito, que se dá a partir dos movimentos do vínculo como presença atuante dos dois. O corpo de um está presentificado concretamente diante do outro, nem que seja pela voz através de um telefone.
4. Outra parte dele se desenvolve em cada um, isoladamente, na ausência do outro, em que desejo, expectativas e imaginação não são, pelo menos naquele momento, compartilhados. Trata-se da sua dimensão individual.
5. Nem a presença corpórea garante um todo compartilhado (desejo, expectativas e imaginação não são necessariamente comunicados ao outro que está ali presente), nem a ausência significa impossibilidade de partilha (igualmente desejo, expectativas e imaginação), às vezes sendo apenas adiado o momento da comunicação.
6. A par de um *projeto dramático manifesto*, que embora consciente tem uma forma de expressão que pode até estar aderida, pelo menos parcialmente, a um sistema de mecanismos de defesa, há ou pode haver, concomitantemente a ele, um *projeto dramático latente*, expressão do inter-relacional inconsciente dos desdobramentos intrapsíquicos individuais.
7. A articulação entre tais compartimentos, ou seja, o intrapsíquico e o inter-relacional, no vínculo, através das duas dimensões concomitantes, a manifesta e a latente, de um mesmo projeto dramático se faz através do desejo e da imaginação para os papéis imaginários, os de fantasia e os sociais, delineados pela interpolação de resistências e pela transferência[99], num processo de cocriação, que definirá os movimentos de escolha positiva e de rejeição, em aparentes mutualidades ou incongruências do vínculo em questão, para cada critério sociométrico que cada um aplica, a cada momento, nessa história relacional. O bom êxito dessa articulação entre estas duas vertentes de um projeto dramático, ocorrendo em tal campo sociométrico, nada mais seria que a expressão cocriativa, coimaginativa e covivencial do que chamamos tele.

Retomemos alguns itens desses tópicos para melhor aclaramento.

A afirmação de que a forma de expressão de um *projeto dramático manifesto* pode estar ligada a mecanismos de defesa pode ser facilmente compreendida a partir do próprio princípio da existência de uma dimensão latente de um projeto dramático. Ora, se um sujeito constrói com outro, vivencialmente, um projeto de casamento, mas seu desejo inconsciente é o de associar-se a esse outro em razão de suas necessidades transferenciais de ser permanentemente protegido, por exemplo, é claro que há um "projeto dramático" latente, total ou parcialmente, do qual o outro não participa, um projeto individual e não um verdadeiro projeto dramático, que será ou não complementado dessa forma na inter-relação. A busca desse modo de complementaridade, que poderá ou não ser efetivado pelo outro e depende também do nível inconsciente de suas necessidades internas, é claramente defensiva. Se assim não fosse, não haveria razão para querer refúgio num casamento-conserva, que fatalmente impedirá o seu crescimento pessoal, que só poderia ser efetivado com a conquista de autonomia.

Ora, o conceito de projeto dramático supõe sempre cocriação, sendo então obrigatória a participação vivencial de dois. Se uma parte desse projeto tem uma raiz individual inconsciente e, portanto, latente, é possível a construção coinconsciente de um *projeto dramático latente*, subjacente ao *projeto dramático manifesto* na inter-relação. Esse projeto só existiria em função de determinada forma de complementaridade de papéis sociais, coinconscientemente pautada pelo desejo de um e de outro, na qual a transferência desempenharia uma função relevante. Nada mais que um caso particular, embora frequente, de construção de um projeto dramático, que se revelará viável ou não no processo inter-relacional, dependendo da capacidade cocriativa de reversão das formas paralisadoras de vinculação. A intromissão de um *projeto dramático latente* no vínculo é que poderá dar a ilusão sociométrica de mutualidade de escolhas, na verdade uma incongruência inconsciente de motivos.

No exemplo descrito, se há acordo quanto ao projeto dramático de casamento, este se torna um *projeto dramático manifesto* se há um *projeto dramático latente*, coinconsciente, em que um deseja ser o protegido e o outro se coloca automaticamente na posição de protetor. Se a dimensão latente, nesse caso, é apenas individual para tal complementaridade inconsciente, não haverá *projeto dramático latente* para esse critério, porque o outro não participará dele coinconscientemente.

A transferência, por sua vez, pode constituir tanto um móvel quanto um impedimento particular para que determinado projeto dramático se desenvolva. É aqui que a conjugação de memória, desejo, interpolações de resistências e imaginação, dependendo da forma como se combinem, estruturará um caminho de atração ou de rejeição, sinalizado, no vínculo, por uma forma particularizada de complementar os papéis sociais em questão.

O passado se atualiza nos vínculos do presente por meio de retalhos de memória costurados entre sensações, sentimentos e percepção, atuados que são — através de papéis sociais — pelo desejo e pela imaginação. O par desejo-imaginação, dependendo do grau de interpolação de resistências presente no vínculo, poderá até construir um papel imaginário, que conservará transferencialmente uma não atuação, imobilidade esta passível de ser transmitida para outras relações, em outros papéis sociais, pelo efeito cacho.

Um exemplo de tais consequências e inconsequências do desejo pode ser dado por este pequeno flagrante de uma esquina de São Paulo:

Regina para o carro num sinal. Um desconhecido, no fusquinha ao lado, lhe faz um aceno, pedindo que abaixe o vidro. Meio relutante, ela atende ao pedido e ele diz: "Você tem um cabelo lindo". Ela responde: "Obrigada", e sobe de novo o vidro. Um novo gesto, uma nova solicitação, um segundo elogio, outro agradecimento, novamente suspendendo o vidro. Uma nova sequência, uma terceira vez, que culmina com o óbvio pedido do número de telefone. A cada vez Regina resiste menos até sorrir e, finalmente, atendê-lo. O sinal passa de vermelho para verde, fragmento temporal já cantado por Paulinho da Viola em "Sinal fechado".

Regina se debatia entre um homem que desejava intimamente, que não lutava por ela e de quem, por isso mesmo, sentia que aos poucos se distanciava, e outro, que por ela tudo fazia, protegendo-a de todas as maneiras e por quem não sentia a menor atração.

Os segundos que transcorreram entre o abre e fecha do sinal de trânsito foram suficientes para que ela vivenciasse um pequeno investimento em lutar por ela, com as três tentativas que o desconhecido fez para entabular uma conversa.

Regina vislumbrou aí — não necessariamente com o desconhecido — uma terceira via que pudesse conjugar, num mesmo parceiro, interesse, desejo e percepção. Nesse momento o projeto dramático que ambos constroem rapidamente é o de conversar um dia mais longamente. Dentro de cada um é esboçado outro projeto menos imediato, que poderá ou não ser realizado. O fato é que Regina não pode deixar de ver no desconhecido o "homem que luta por ela", desenhado pelo seu desejo, mesmo que aquela investida no sinal tenha apenas um objetivo sexual transitório. Naturalmente, dentro de um e de outro, o desejo e a imaginação são capazes de compor cenas desses esboços de projetos dramáticos do relacionamento dos dois, projetado para o futuro e com desdobramentos que dependem do desenlace de cenas passadas. Ou se repete um enredo que deu certo, ou que se gostaria que desse certo, ou que se teme não dar certo ou uma mistura deles, impregnada de certo grau de expectativas.

Supondo que tal ocorrência fosse objeto de uma dramatização no processo terapêutico de Regina, seria possível rastrear os componentes desse desejo não realizado e, portanto, conservado num papel imaginário, e atuá-lo, através da imaginação, por intermédio de um papel psicodramático, na cena do psicodrama, nada mais que a evidência em ação daquela vertente individual de um projeto dramático possível com o desconhecido. Seriam desvendados ou não os nexos transferenciais envolvidos em tal situação, caso houvesse uma necessidade de aprofundamento. Uma catarse de integração que eventualmente pudesse ocorrer apenas devolveria Regina ao seu desejo de origem, que permitisse situá-lo no presente para compor com o desejo do outro um projeto dramático mais bem definido, em que seria possível a cocriação por meio de uma complementaridade de papéis sociais sem latências imobilizadoras e inviabilizadoras de tal projeto dramático possível. Ou, então, levá-la a não concretizar ou a interromper o projeto dramático em questão, por ter a sua percepção ampliada quanto à sua viabilidade, podendo arcar com um desejo sem complemento porque não mais contaminado com um sofrimento transferencial.

E assim se entrelaçam Paula, Fernanda, Regina, eu e minha mulher, a solidão, o preenchimento, a viagem olfativa, o desconhecido no sinal vermelho, o sorvete, o desejo, a imaginação, a cocriação, em que, para cada movimento interno que se objetiva na inter-relação, se aguarda o movimento do outro em cada vínculo-vida-demoramento. Mentira por verdade, verdade por mentira, fluidez de ação e sentimento, esmaecidos ou grafados de memória, de tal forma impregnados, batimentos insistentes em código morse. Entrelembro, entrelembras, entrelembramos...

8. Riso, comédia, sorriso, gargalhada

Carlos Calvente inspirou este capítulo. Participando, num congresso nosso (o oitavo, em São Paulo), de uma vivência psicodramática dirigida por ele, "Psicodrama, drama e melodrama", entrei em contato com sua abordagem particular, naquela ocasião, de aquecer o grupo para acentuar os aspectos cômicos dos dramas de cada um, em tom de novela mexicana.

Meses mais tarde, em minha casa, conversávamos sobre o assunto e ele me dizia que estava desenvolvendo algumas ideias nessa direção, na verdade preocupado em revelar outros aspectos do lado pesado da vida e outras formas de lidar com ele pela via da leveza e do bom humor.

Lembro que contei a ele, naquela conversa, um episódio ocorrido há mais de 50 anos, quando eu era estudante de medicina, que me marcou muito e muito me ajudou a refletir sobre minha prática profissional.

Naquela época eu era responsável pelo tratamento de uma ex-empregada doméstica, incapacitada para o trabalho e em total condição de miséria, internada numa das enfermarias da Santa Casa do Rio de Janeiro. Era uma doente crônica, em estado gravíssimo, e que enfeixava em si todas as complicações de sua doença, uma colagenose sistêmica, e todos os efeitos colaterais desagradáveis e de alto risco possíveis, causados pelos medicamentos que tomava. Não bastasse isso, sua história pessoal era pautada por todo tipo de desgraças, perdas e abandonos.

No entanto, essa paciente, feia, negra, careca, manchada, manca e inchada, que veio a falecer com o meu testemunho, era o próprio sol da enfermaria. Engraçadíssima e bem-humorada naturalmente (o sorriso e o riso eram as suas características mais marcantes e não a sua defesa), conseguia se fazer extremamente querida por todos: pacientes, médicos, estudantes, enfermeiros, auxiliares. Com certeza foi o que a ajudou a enfrentar a sua longa doença e a sobreviver tanto tempo. O luto foi geral quando ela morreu e até hoje não sei que razões onipotentes me obrigaram a assistir à sua autópsia e como reuni coragem para isso. Uma violência que cometi contra os meus sentimentos em nome de um pretenso interesse científico.

Jamais me esqueci da frase de um professor naquele dia: "Gostaria de poder aprender a rir da própria desgraça, como Fulana! Foi o que ela mais me ensinou".

Talvez, um pouco em homenagem e em agradecimento a essa paciente, listada no obituário dos indigentes — a primeira de quem tratei, talvez para buscar em minha vida o seu lado pastelão —, peço licença a Calvente para também desenvolver algumas reflexões paralelas ao seu tema.

Segundo Bergson, "não há comicidade fora do humano. O homem é um animal que ri e que faz rir"[100]. Tudo aquilo que é ou pode ser cômico perpassa nossa vida em estado latente, esperando a hora de traçar um sorriso ou de prorromper em gargalhada. A mesma cena capaz de tocar melodramaticamente o coração pode constituir a comédia que arrancará de nossos olhos a mesma lágrima salgada transformada de tristeza em riso. Nesse universo bergsoniano, a chave de tal metamorfose está no envolver-se, ou não, pela emoção. A insensibilidade, a indiferença e o distanciamento é que permitem a franca enxurrada do riso. Só deixando de lado aquilo que possa nos comover, aquilo que interessa à nossa sensibilidade, é possível, diante do mesmo fato, enxergar razões que forneçam em si mesmas razão para a sua comicidade.

O mesmo Chaplin, saboreando um velho sapato como um bife imaginário no prato e lambendo os pregos da sola como os ossos de um frango grelhado, arranca de nós uma resposta hilariante apenas se conseguirmos dissociar essa imagem do personagem miserável e desesperado de fome que ele encarna; enfim, um terrível protagonista de um drama social, quase tragédia. Mais ainda porque estamos no cinema e o eco de nossa gargalhada ressoa e é amplificado pela gargalhada dos outros espectadores. Sendo o riso sempre um riso de grupo, ainda segundo Bergson, quanto mais gente, maior o riso. Rir exige, portanto, a neutralidade distanciada do espectador e adquire um significado social porque não riríamos se nos sentíssemos isolados.

Bergson observa que os heróis da tragédia, em geral, não comem, não bebem, não se agasalham, não se sentam, o autor evitando habitualmente as preocupações com o corpo, atos esses que podem facilmente se converter em motivos de graça.

Magaldi, estudando o teatro, assinala que até mesmo as tragédias de Shakespeare não estão isentas de comicidade em algumas de suas cenas, em que pesem as suas diversas formas, do livre humor à fina ironia, passando pela crua sátira, valendo o desfecho para manterem seu revestimento trágico.

De fato, encontraremos na boca de Hamlet[101], por exemplo, o seguinte jogo de palavras, numa cena em que se faz passar por louco, uma farsa dentro da tragédia, dirigindo-se a Polônio: "Sois um peixeiro" (*fishmonger*), significando cafetão (*fleshmonger*), um trocadilho perfeitamente adequado aos acontecimentos que se desenrolam na peça.

Uma protagonista num grupo de psicodrama, no meio de uma dramatização, em que encena dolorosamente a sua separação, arranca gargalhadas do grupo quando, no papel de seu marido vasectomizado, na cena, encontra na bolsa um diafragma ainda úmido e a interpela. A sua resposta: "É o diafragma que uma amiga me deu para guardar" — o próprio retrato do pânico em roupagem de comédia.

Magaldi nos lembra que a encenação da comédia de "O misantropo", de Molière, montada em 1954 por Jean-Louis Barrault, foi marcada por uma inequívoca austeridade dramática, muito longe da veia cômica, um ângulo totalmente inesperado.

Marineau nos conta que o célebre sociodrama de Moreno, em Viena, em 1921, em que ele convidava o público a se sentar no trono e a experimentar o papel de rei, se inicia, ao se abrirem as cortinas, com o próprio Moreno fantasiado de bobo da corte. Uma proposta político-ideológica pintada em tons burlescos pelo seu idealizador e apresentador. Imaginem o impacto.

É ainda Moreno que nos diz, no meio de uma longa fala de revolta e desespero, pinçada por Marineau de sua autobiografia: "Devo comer. Mas as melhores iguarias saem pelo traseiro", frase essa capaz de nos provocar o riso se isolada de seu texto integral e se distanciássemos do conjunto a nossa emoção. Ela nos pareceria apenas os lamentos comicamente chorosos de um glutão.

Por outro lado, o mesmo Shakespeare de Hamlet constrói a trama da comédia "As alegre comadres de Windsor"[102] em torno das desgraças pessoais de Falstaff, que ora é metido num cesto de roupa suja e atirado ao rio, em meio ao lodo e à sujeira, deixando o orgulho de lado em rota de fuga, ora grudam-lhe piche, queimando-o com uma vela, um conquistador em apuros, sofrendo a vingança das mulheres. Eis sua queixa, ao expressar seu temor em ter sua vaidade ferida se a corte soubesse que levara uma surra quando estava vestido com roupas femininas: "Garanto que me fustigariam com agudas sátiras até que ficasse tão abatido quanto uma pera em passa".

Eis aqui, além do lado dramático da comédia, outro desdobramento do pensamento de Bergson: o riso como castigo social e como remédio específico para a vaidade. O chicote e a dor de Falstaff são as "agudas sátiras" da corte. A vaidade como produto da vida social acaba ficando a um passo do ridículo, por criar ilusões que o próprio social denuncia. Bergson se aproxima de Moreno, ou vice-versa, quando diz que "nos limitamos no mais das vezes a ler os rótulos colados nas coisas"[103].

Um bom exemplo dessa rotulação nos é dado por um jogo dramático numa sessão de grupo de psicodrama, em que se escancara o modo como cada integrante vê os companheiros, num clima de piada. Eis o resumo dos rótulos que se atribuíram: o separado arrependido, o velho safado, o marido fiel cagão, o cagão II, a perguntadeira, a amante do cara casado, a executiva assexuada.

A denúncia que está por trás do riso desmascara os rótulos, "castiga os costumes" e faz pairar sobre o indivíduo, como um "trote social", o temor diante da perspectiva de humilhação. "Toda moda é risível por algum aspecto"[104], máxima essa que percorre toda a extensão do ti-ti-ti dos estilistas.

Qualquer cartunista conhece a fundo tais princípios. A história da sátira política brasileira, por exemplo, é pontuada pelos nossos presidentes, que por meio da arte da caricatura sempre foram pintados por seu ângulo corporal mais desfavorável: Getúlio pela barriga e pela papada, Dutra pelo nariz de grão de bico, Castelo Branco pela ausência de pescoço, Itamar pelo revolto topete... É a confirmação de outro postulado de Bergson, que diz que o ser humano ri das deformidades que consegue imitar.

Não é outro o segredo dos comediantes do cinema em todas as latitudes, em que repetem mimeticamente as ações e os trejeitos dos desajeitados, dos aleijados, dos miseráveis, dos vagabundos, dos desastrados. Assim são os personagens mudos das comédias de Max Senett. Assim se comportam Buster Keaton, Chaplin, Oliver e Hardy, Peter Sellers, o mexicano Cantinflas, o francês Fernandel e os nossos Oscarito e Grande Otelo. Todos os seus personagens são, no fundo, uns pobres coitados.

Gloria Swanson passa metade de um filme com os pés enroscados nas correias de três ou quatro cachorros, equilibrando nas mãos cinco ou seis sorvetes de casquinha, enquanto tenta passar por uma porta de vaivém, cena digna do Pateta de Disney.

Frank Capra, em suas comédias otimistas, que adocicavam a Grande Depressão americana dos anos 1930, coloca toda uma legião de fracassados em cena, até mesmo um homem-tronco, dirigidos para um triunfo final em tom de moral de fábula. Até os títulos de seus filmes são significativos quanto a esse aspecto. Por exemplo, *Do mundo nada se leva*.

Como contraponto de Capra, Voltaire, dois séculos antes, numa Europa em que França e Inglaterra são as duas potências que se defrontam, quer na Alemanha, quer nos mares de suas colônias — catástrofe que, para os padrões da época, equivaleria hoje a uma guerra mundial —, ridiculariza as delícias da vida social dos privilegiados nesse pano de fundo de batalhas sangrentas e põe por terra a candura e o otimismo de Cândido.

Não é sem razão que Bergson aponta a identidade, quanto à natureza, entre o sonho e o absurdo cômico, devolvidos a si mesmos apenas quando a eles se aplica a correção da realidade. A comédia, diz ele, "é um brinquedo que imita a vida"[105]. Se imita a vida, acrescento, o sonho sendo parte da vida, por que não imitar também o sonho? A origem da comédia está, portanto, no próprio homem. O absurdo da sua estrutura lhe é tão familiar quanto a irrealidade do sonho. Encontraremos, antes mesmo do teatro, na mitologia grega, esse enredo de comédia:

Afrodite, casada com Hefesto, deus do fogo e dos trabalhos em metal, tinha por amante Ares, deus da guerra. O sol, surpreendendo os dois na cama, alertou Hefesto, que forjou uma rede de metal finíssima e invisível, armadilha suspensa sobre o leito. Ostensivamente, Hefesto comunicou a Afrodite que empreenderia uma longa viagem. Tão logo o sol novamente lhe avisou que os amantes estavam juntos, acionou a rede e convocou Apolo, Hermes e Posídon como testemunhas. Os deuses foram tomados por um acesso de riso ao surpreender Afrodite e Ares presos nas malhas da rede. Como de costume, ajudaram Hefesto a receber de Ares a multa devida nos casos de adultério, além de fazerem piadas sobre quem gostaria de estar ao lado de Afrodite.

Tanto a tragédia quanto a comédia nascem dos cultos dionisíacos. Homero (século IX a.C. aproximadamente) foi o primeiro a construir a estrutura básica da comédia, que no século V a.C. tem em Aristófanes a sua expressão máxima no teatro grego, teatralizando satiricamente os próprios ritos dionisíacos.

Entre os psicodramatistas que estudaram o teatro grego e sua evolução como o berço ancestral do psicodrama, Volpe acentua o drama (ação) como determinante do trágico, construído em torno do conflito entre o herói e o mundo de valores. Ele afirma: "[...] o exemplo grego nos traz a convicção de que toda e qualquer tentativa de decifração da visão trágica do homem passa inseparavelmente, antes de mais nada, por um espetáculo e não por uma especulação teórica"[106]. Não é sem razão, pois, que Suzana Modesto Duclós afirma que o pensar psicodramático lhe parece difuso na ação[107].

Menegazzo, por sua vez, estuda o ritual mágico, do qual deriva o ato dramático, buscando nas ações miméticas do homem, ao dublar a caça, a origem da perícia gestual que mais tarde ele levou para a cena teatral. É nessa intimidade com a natureza que ele descobre "a força de seus impulsos, de suas emoções e de seus desejos contrastados"[108]. É ainda Menegazzo, desenvolvendo uma pesquisa sobre os ritos primitivos, que desemboca nos cultos dionisíacos e na tragédia grega para melhor entender o psicodrama.

Merengué, ao caracterizar o fora de si protagônico, chama nossa atenção para a semelhança entre a ritualização e a dramatização, afirmando que "o teatro não deixa de ser um ritual e a liturgia tem algo de marcadamente cênico".[109] Ele também se reporta aos cultos dionisíacos e enfatiza a complementação entre o fora de si dionisíaco (Dionísio o deus-vândalo-mutante) e a estrutura organizada apolínea (Apolo o deus-tirano-lei). Merengué menciona a presença da comédia ao lado da tragédia nos cultos dionisíacos.

Ora, os escritos de Aristóteles, em sua *Poética*, que tratam dos preceitos sobre a comédia, foram perdidos. Camila Salles Gonçalves[110] nos lembra que O *nome da rosa*, de Umberto Eco, é uma grande fantasia sobre a sua desaparição. Ficaram as páginas da tragédia e com elas o seu significado grego de "conflito entre o destino divino e o desejo humano de autodeterminação"[111], como ensina Gecila Sampaio Santos. É essa compreensão de mundo pelo prisma da tragédia que traça a vida efêmera como sofrimento, dependente do arbítrio divino.

O drama, como gênero teatral, é uma transformação da tragédia; como o define Magaldi, enfim "liberta da fatalidade e assentado nos conflitos cristãos resolvidos pelo arrependimento e penitência"[112]. O melodrama não passa de uma variação lacrimosa e de efeitos fáceis do drama.

É fácil compreender o porquê da grande audiência das novelas até hoje. Em todas, o mesmo potencial catártico das velhas tragédias embutido.

Pedro Camacho, impagável e hilariante personagem de Vargas Llosa[113], roteirista de novelas da rádio peruana, vive tão a sério os seus enredos que come, bebe e dorme suas tramas até ultrapassar a fronteira da sanidade e embaralhar completamente seus personagens, épocas, cenas e cenários. Com o tempo cada uma de suas novelas se torna uma novela só. É como se Albertinho Limonta da novela mexicana *O direito de nascer*, dos idos da minha infância, ainda no rádio, despencasse de paraquedas numa moderna novela da Globo. É tudo a mesma enlouquecedora tragédia sob a máscara derretida do melodrama.

Talvez porque se perderam os capítulos aristotélicos da comédia, tenhamos nos habituado à sua ausência, mesmo quando falamos em psicodrama. No entanto, nós nos esquecemos de que o *drama* (ação) inclui tanto a tragédia quanto a comédia, duas faces dessa mesma ação.

Quem sabe porque "a mimese trágica fixaria os homens melhores do que eles ordinariamente são, e a comédia, piores"[114], queiramos ocultar a comédia e, com ela, nossas idiossincrasias mais detestáveis, risíveis apenas nos outros. Preferimos ser herdeiros do heroísmo trágico, embora a um passo do ridículo. A catarse, pois, e particularmente a catarse de integração psicodramática, não deixarão de acontecer se vierem por uma via cômica em vez da tão conhecida via trágica, revelando nossas melhores e piores facetas.

Buchbinder[115], com seu teatro de máscaras, busca o significado oculto por trás das aparências. Sua poética do cotidiano se revela como uma produção da verdade. Não importa que o seu trabalho psicodramático nos ofereça máscaras de palhaço ou de dor. Qualquer delas, trágica ou cômica, estará aderida a uma parcela de nós mesmos que tememos revelar, num jogo de estrutura carnavalesca, à semelhança da *commedia dell'arte* dos séculos XV a XVII, cuja tônica era a liberdade de criação mascarada.

Aristófanes certamente compreendia a dimensão da comédia, pois lutou para elevá-la à altura da tragédia, desbastando os seus aspectos mais grosseiros. Evitando a pornografia, por exemplo.

Molière fez o mesmo, advogando a superioridade da comédia e ironicamente vindo a falecer durante uma das apresentações de sua famosa peça *O doente imaginário* — logo ele, um mestre da sátira teatral, doente real morrendo no imaginário.

Argumentos temos de sobra, portanto, para nos deter um pouco mais em algumas paradas da história do teatro e da comédia. Lope de

Vega, citado por Magaldi, diz que "bastam para fazer teatro dois atores, um estrado e uma paixão"[116].

Freud, por sua vez, afirma que para o cômico são necessárias apenas duas pessoas, uma que assim o enxerga e outra na qual ele é visível. Uma terceira pessoa não é indispensável, embora possa intensificar o processo. A piada, entretanto, precisa de um terceiro. A piada, para ele, "se faz" e o cômico "se descobre"[117].

Brecht, citado por Magaldi, cria e desenvolve o estranhamento (distanciamento) do personagem, que se caracteriza pela atitude do ator de não encarná-lo em dado momento da peça, o que guarda semelhança com a técnica do espelho do psicodrama. Para ele, a observação é a parte essencial da arte do comediante, aproximando-se das já comentadas ideias de Bergson.

Martins Pena, o fundador da comédia brasileira de costumes, no século XIX, transita entre o teatro de Aristófanes e o de Molière. Aristófanes, preocupado com as contradições da realidade do seu tempo, dirige seus diálogos ferinos para a comédia política e satírica. Já as peças de Molière desenham grupos sociais bem definidos por meio de uma notável galeria de tipos, representantes de seus estereótipos e de suas mazelas: um doente imaginário, um burguês fidalgo, preciosas ridículas; um avarento, Don Juan, um misantropo, um hipócrita bajulador (Tartufo).

Martins Pena, embora não com tanto brilhantismo, constrói uma sátira mordaz às instituições e a seus representantes, temas tão vivos como em nosso presente: o correio que não funciona, o estrangeiro que vem ao Brasil só para ganhar dinheiro e conquistar nossas belas mulheres, os empregados públicos filhos da pátria, os guardas corruptos da alfândega, a imobilidade dos presidentes das câmaras, o contrabando, a corrupção dos ministros etc.

Nosso teatrólogo foi capaz de desenvolver o sentido arguto do observador, indispensável ao bom comediante, e de fazer da sua impotência diante da degradação da vida institucional uma denúncia social, construída de comédia a piada, colocando um de nós no papel do terceiro, em que se deflagra o riso e em que alguma forma de consciência e de sensibilidade "se faz".

Ionesco, romeno como Moreno, nascido em 1912 e radicado na França com a ascensão do fascismo, provocou um escândalo, ora porque atacava pela paródia a tradição do gênero dramático, ora porque suas peças repousavam sobre a transcrição dos sonhos e a exploração psicanalítica da consciência. Abordou o indivíduo oprimido pela massa, o homem diante da morte e a sua impossibilidade de atingir o absoluto. Seu teatro do absurdo traduziu sua obsessão pela luta entre o bem e o mal, o pecado, a morte e a busca cega do homem da felicidade que não se atinge.

Lagarde e Michard dizem de Ionesco e de sua dramaturgia: "[...] ele empresta a seus personagens uma linguagem automática, absurda e bizarra; num mesmo golpe, denuncia a esclerose intelectual ou a impossibilidade de comunicar o que aparece quando o automatismo se faz obstáculo à espontaneidade, à verdade dos seres"[118]. Levando em conta as ideias de Moreno sobre as conservas culturais (automatismos), espontaneidade e a força transformadora e catártica do teatro, quase começo a acreditar, considerando que Ionesco foi seu contemporâneo, que tais preocupações seriam obsessões europeias de uma minoria romena desgarrada de imposições totalitárias.

Freud também nos diz que "extraímos comicidade da relação do homem com o mundo exterior, que tão tiranicamente atua com frequência sobre seus processos psíquicos"[119].

Fanchette observa que "existe uma identidade profunda entre a alienação voluntária do comediante e a alienação de fato do doente mental".[120]

Aguiar, ao batizar o psicodrama de TEATRO DA ANARQUIA, claramente aponta que "verdade e liberdade são, pois, as duas pedras de toque do pensamento psicodramático, cujos desdobramentos políticos se afiguram de inimaginável extensão".[121]

Ora, se o homem, por meio de uma alienação voluntária, é capaz de extrair comicidade da sua relação com um mundo que o oprime, ele o faz com a roupagem de uma aparente loucura, a comédia, para desvendar a verdade de seu destino trágico, buscando um caminho de liberdade.

Por essa razão, comédia e tragédia quase se fundem, porque ambas escancaram as portas de seus conflitos e contradições, exigindo dele a dissolução de sua imobilidade e alavancando uma ação transformadora.

Em Viena, em 1911, no Teatro das Crianças, Moreno encena a peça "Os feitos de Zaratustra". No meio da representação, um espectador sobe ao palco e questiona o ator que faz o papel principal. Pergunta o que ele está fazendo ali se não é o verdadeiro Zaratustra e lhe diz: "Os mortos não podem revidar. Oh, ator, deixa viver os vivos e que os mortos permaneçam mortos".[122]

Esse diálogo entre o espectador e o ator, apanhado de surpresa, continua até o ponto em que este arranca a máscara, despersonifica o personagem e volta a ser ele mesmo. Moreno é chamado ao palco e termina a cena dialogando com o ator:

> Ator — Seria bom conhecer a origem do riso.
> Moreno — Creio que o riso teve origem quando Deus viu a si mesmo. Foi no sétimo dia da criação que Deus, o criador, olhou para os seus seis dias de trabalho e prorrompeu em gargalhadas... rindo de si mesmo.
> Ator — Essa foi também a origem do teatro.
> Moreno — Sim, enquanto estava rindo, um palco surgiu rapidamente debaixo dele. Aqui está, sob os nossos pés.[123]

Gecila Sampaio Santos, ao nos lembrar desse palco que surge naquele instante aos pés de Moreno, comenta certeiramente: "Neste sentido, o palco psicodramático deixa de ser necessariamente um espaço físico previamente determinado e delimitado, mas necessariamente um espaço simbólico". Esse palco surge quando o homem é colocado em situação de agir, quando se torna consciência trágica pela descoberta da ambiguidade e das contradições, quando abandona, portanto, as certezas absolutas e percebe-se no impasse que antecede uma decisão entre polos que se configuram por clara oposição"[124].

Mais uma vez nos encontramos no ponto de encontro entre tragédia e comédia. É o próprio Moreno que considera a origem do teatro o momento em que o criador se distancia da obra e ri às gargalhadas de suas contradições, protagonista de seu drama, comédia contemplando tragédia num clarão de consciência.

Esse rir de si mesmo não só é a evidência de que todos os gêneros teatrais se misturam na vida, do épico à farsa, como também justifica que qualquer deles possa ser via de acesso à consciência trágica do ser humano, berço de sua transformação, revertendo tudo aquilo que tenha sido recebido como um destino imutável.

A aplicação de tais conclusões, na prática psicoterápica de um grupo de psicodrama, obedece ao princípio, relembrado por Merengué, ao situar o protagonista como alguém "fora de si", de que ele encarna o conflito que se desloca do contexto grupal para o contexto psicodramático, com isso evidenciando o seu caráter de não superado.

Bustos, quando fala dos desejos que todo integrante de um grupo carrega dentro de si, distingue aquele que é "consciente, o desejo de mudança" de outro, "inconsciente", o de "achar um lugar onde estão todos os elementos de que necessita para a sua felicidade".[125]

Tomemos um exemplo da viabilização prática dos princípios discutidos até aqui.

Carolina está intensamente deprimida e revoltada. Seu casamento de mais de dez anos terminou de maneira abrupta, com o marido saindo de casa, comunicando cruamente que vai viajar com outra. Ela se sente contida e impotente diante do fato. Sua única esperança é o grupo.

Conta minuciosamente no contexto grupal a sequência dos acontecimentos e as suas fantasias quanto à viagem do ex-marido. Seus companheiros de grupo reagem com as especulações mais diversas que imaginam estar acontecendo. Proponho a eles que dramatizem para Carolina, que fica de fora assistindo à cena, a história contada por ela.

O grupo monta duas cenas simultâneas. A primeira, angustiante e dramática, representa Carolina sozinha em casa com os filhos, desesperada, desdobrando-se em suas obrigações domésticas e profissionais, contando vinténs para pagar suas contas, chorando nos cantos, sem ver saídas para a sua vida naquele momento. Essa cena o grupo batiza de "cena invisível", aquela em que se sofre, mas ninguém presencia. A segunda mostra o ex-marido num cenário de filme romântico, num barco com sua amante, ambos apaixonadíssimos, trocando juras de amor. Tudo perfeito, tudo lindo. Essa outra o grupo classifica como a "cena clichê", que aparece no cinema e todos querem viver.

A certa altura, a cena da casa se torna cômica, pelos movimentos frenéticos e estereotipados de Carolina correndo de um lado para o outro, sem dar conta de nada, em lamentações repetitivas que revelam que o casamento não ia tão bem quanto parecia e em que ela planeja os detalhes de uma ação de divórcio e expõe seus desejos de vingança. Tudo isso atabalhoadamente.

Por seu lado, a cena romântica transforma-se em hilariante quando a amante de olhos revirados e com uma ansiedade melosa e desajeitada, entre ousada e tímida, ao mesmo tempo que a outra cena se desenrola no cenário, propõe: "Vamos tomar banho de mar nus?"

Carolina, primeiro, e todo o grupo, são presas de intermináveis gargalhadas. Ela confessa ser a primeira vez que consegue rir da situação, podendo vislumbrar que nem tudo está perdido, sua vida continua e sente que é capaz de administrá-la e de descobrir novos caminhos.

É claro que o processo terapêutico de Carolina não termina aqui, nem essa dramatização é a chave de tudo. Porém, indiscutivelmente, é um bom começo. Rir da própria desgraça e enxergar em sua "tragédia" pessoal a comédia, a sátira, a farsa, o melodrama, na posição distanciada, na verdade um espelho construído pelo grupo, que permitiu a emergência do cômico, desencadeou um bem-estar avivado pelo delineamento da consciência crítica, capaz de iluminar ângulos ocultos de seu drama privado.

O palco de Moreno surgiu de repente a seus pés, puxado pelo grupo, e permitiu que, naquele momento trágico em sua vida, seu conflito, suas contradições se tornassem teatro, podendo rir às gargalhadas. Criador de sua obra, *script* que ela mesma pautou para seus companheiros, na sessão, na fase de aquecimento inespecífico, em que o "fora de si" ainda era um "dentro de si", ambiguidade ainda não superada.

A consciência trágica colocou-a crua e irremediavelmente na via de transformação por meio da comédia, protagonista ativa e atuante de sua vida, capaz de mudar o rumo do que se acreditara destino, não mais depositando no grupo o seu desejo de preenchimento e alcance da felicidade.

E assim, refletindo sobre tais coisas, sobre as duas faces da mesma moeda, tragédia e comédia, sobre as semelhanças entre ritualização e dramatização, nesse meio pensar, meio sentir, nesse justo momento, entra na minha sala um cliente. Veio me dizer que resolvera interromper a terapia. Ficaria somente com o seu pai de santo, que, aliás, ainda estava de férias. Esperaria a sua volta, de um cruzeiro a sudeste de Porto Rico, para consultá-lo sobre algumas questões.

Foi essa a sua despedida, deixando-me em mudo espanto com cara de comédia, minha imaginação seguindo as ondas do mar até a América Central. Tal perplexidade, minha velha conhecida, é a mesma que me assaltava quando alguém me chamava de moreniano, como se isso fosse possível, sem saber ao certo, num primeiro momento, se era elogio ou xingamento, dependendo de quem viesse.

Queira eu ou não, o fato é que sua saída triunfal evidencia que fui trocado por um pai de santo, que a esta hora deve estar refestelado numa espreguiçadeira no convés de um transatlântico de luxo, ao sol do Caribe, tendo ao lado um daiquiri com bastante gelo picado, bem ali ao alcance da mão, pesada de quilates e solitários, senhor dos anéis, aspirando a fumaça de um charuto cubano, sob as bênçãos dos orixás.

9. Sempre psicodrama

Nós nos acostumamos a ouvir de um ou de outro psicodramatista a seguinte frase: "Não sei se o que faço hoje é psicodrama e nem estou preocupado com isso".

No entanto, ao mesmo tempo, é possível presenciar, em qualquer deles, o seu pronto atendimento ao menor convite para participar de uma mesa-redonda de teoria de psicodrama ou para dirigir, num congresso, uma vivência psicodramática com evidente prazer estampado no rosto. São convites que ressoam como folhas secas caindo de uma parreira às suas costas, despertando e revelando, num ato falho, a sua filiação visceral ao psicodrama, que mal consegue esconder com suas críticas. Diz o dito popular: "Quem desdenha quer comprar".

Ora, muito antes de Cristo, Esopo já sabia que a racionalização é um poderoso mecanismo de defesa. As uvas "verdes" fora do alcance da raposa que o digam, pela boca fluente e ágil de um ex-escravo feio, corcunda e gago, sem agente literário que defendesse seus direitos diante de La Fontaine, que recontou o seu roteiro quase 13 séculos depois e deve estar faturando alto até hoje. Afinal de contas, todos nós somos ávidos consumidores e atores fiéis desse enredo.

Xantipa, segundo a fábula da história, envenenou a vida de Sócrates, seu marido, com seu gênio detestável, até ser tomada por um desespero incontrolável no dia em que ele foi obrigado a beber o cálice de cicuta. Tal fato foi atestado, simplesmente, por ninguém menos que Platão.

Quem sabe Shakespeare tenha se inspirado nessa megera indomada da cultura grega para construir sua Catarina seiscentista, enfim subjugada apaixonadamente a Petruchio?

Amor, ódio, atração, rejeição, dependência, autonomia, desprezo, veneração, ambivalência, conflito, gozo, insatisfação, como quer que possamos chamar tudo isso que se vive e se revive, humanamente, em face do psicodrama, em todos os lugares onde ele se faz presente.

A questão pode parecer insolúvel se não procurarmos nos deter na análise da natureza de tais contradições e nos porquês do "psicodrama às vezes".

Não é verdadeiro afirmar que a forma processual de aplicação do psicodrama, de um ponto de vista terapêutico, nem levando em conta aqui as demais formas de empregá-lo (educacional, comunitária, treinamento em empresas etc.), que serviu como um divisor de águas dos mais diversos caminhos teóricos que ele tomou, é pós-moreniana.

Muitos psicoterapeutas, como Bustos, de presença marcante entre nós, brasileiros, só para dar um exemplo próximo, fizeram a sua formação psicodramática em Beacon e, lá, trocavam ideias com Moreno, em sua própria casa, antes de 1974, data de sua morte, a respeito da utilização do psicodrama na psicoterapia individual e de grupo, de metodologia escancaradamente processual. Já naquela época, não eram poucos os psicodramatistas que discutiam o psicodrama com o viés da psicanálise. Basta ler o índice de matérias ou o conteúdo dos primeiros livros estrangeiros de psicodrama que nos chegaram às mãos na década de 1970: "Descoberta e manipulação da agressividade inconsciente"; "Psicodrama e inconsciente"[126]; "Dificuldade no discernimento da espontaneidade, da inteligência e do inconsciente"; "a resistência, a transferência, a ressonância fantasmática grupal"; "o espaço do psicodrama analítico"; "Dois exemplos de passagem ao simbólico"[127]; "associação livre de pensamento"; "contradependência no grupo"; "através da dinâmica de grupo clássica"[128]; "A identificação"; "pulsão de morte"; "pênis fecal da avó, que expulsa no fim [...] transformando-o em dedo de luva"[129]; "Foi Freud precursor do psicodrama?"; "Queda da Resistência"; "invadido pela pulsão reprimida"; "componentes do eu"; "a conjugação de psicodrama e da psicoterapia de grupo apresenta muito mais vantagens do que inconvenientes"[130]; "o diretor deve [...] realizar a análise individual e grupal e dar por finalizada a sessão"; "as ansiedades mobilizantes [...] mantêm o grupo em estado de 'crise' constante que desencadeia reações defensivas"; "o mecanismo de negação do ambiente patológico"[131]; "Estrutura caracterológica"; "um histérico tende a ter maior plasticidade para desempenhar papéis"; "um paciente com estrutura obsessiva"; "para alcançar o *insight* e a integração das situações históricas e transferenciais"; "a gênese da depressão ao dirigir para si seus impulsos destrutivos"[132]; "compartilhar pode ajudar o coordenador a ver, a objetivar, a discutir seus processos contratransferenciais para não atuá-los"; "a resistência dos terapeutas a questionar sua própria personalidade neurótica que os leva a se projetar sobre seus pacientes"[133]; "explicitação das ansiedades persecutórias do drama transferencial"; "quadros muito regressivos"; "certas características masoquistas de sua personalidade"; "o psicodrama é benéfico para o tratamento das neuroses impulsivas" (Carlos Martinez Bouquet, Fidel Moccio e Eduardo Pavlovsky)[134]; "o psicodrama conta [...] com a cena dramática, sobre a qual se faz incidir a ação interpretativa"; "minha corrente de trabalho e de teorização se inscreve [...] no psicodrama psicanalítico"[135]; "as modalidades das contratransferências em psicodrama"; "flexibiliza [...] mais nitidamente [...] as defesas pré-genitais"; "na distância entre o tema e a representação se manifestam defesas que prejudicam a expressão dos desejos inconscientes"[136] — e assim por diante.

Quero esclarecer que em nenhum momento estou querendo criticar esses recortes de observações feitas há tanto tempo pelos mencionados psicodramatistas. Minha única intenção é a de demonstrar que, pelo menos nesse material que trago à tona, o psicodrama internacional não é puramente moreniano desde quando Moreno ainda estava bem vivo e lúcido para discutir esses tópicos com seus discípulos. Nem por isso sua teoria deixou de se desenvolver produtivamente, cabendo vários enfoques e várias correntes de pensamento.

A questão, portanto, transcende o mero referencial histórico. Assim como não há nenhum sentido em chamar os psicanalistas pós-freudianos de neopsicanalistas, ou os economistas pós-schmidtianos de neoeconomistas, ou os pedagogos pós-pestalozzianos de neopedagogos, o mesmo se aplica aos psicodramatistas pós-morenianos e à impropriedade do termo "neopsicodramatista".

Estou querendo dizer com isso — e Fonseca Filho poderia confirmar — que o termo "neopsicodrama", que ele cunhou com muita argúcia e propriedade, serviu para caracterizar apenas que o psicodrama que se faz hoje, predominantemente processual e incluindo o atendimento individual, é diferente daquele que Moreno praticou, calcado no ato psico ou sociodramático e no grupo. A exigência de um referencial teórico mais amplo e aprofundado passa a ser uma consequência *sine qua non* da evolução do psicodrama como um todo. Ninguém hoje — concordo plenamente com Fonseca Filho — pode se arrogar o título de psicodramatista "moreniano" em estado de pureza de 18 quilates, não mesclado a nenhum outro referencial científico de domínio humano. Nem mesmo Moreno, que utilizava em seus protocolos uma base diagnóstica, oriunda da psicopatologia clássica da época, ainda que mal assimilada.

Digo tudo isso porque, anos atrás, um aluno de um curso de formação em psicodrama veio se queixar para mim que nenhum dos psicodramatistas "morenianos" tinha dado aula para a sua turma. Só os "neopsicodramatistas".

Fiquei me perguntando quem seriam esses psicodramatistas "morenianos" brasileiros. Os de mais de 50 anos? Os que não falam em psicanálise? Os fundadores das primeiras sociedades de psicodrama no Brasil? Quem?

Deixei, então, correr a minha fantasia e, dependendo das diversas posturas e pontos de vista diante do psicodrama, cheguei a esta rotulação alucinada: além dos psicodramatistas morenianos e neopsicodramatistas, deveriam existir também os socionomistas, os neossocionomistas, os psicodramaturgos espontâneos, os psicodramatistas-psicanalistas, os gestaltopsicodramatistas, os psicodramatistas lacanianos, os neorreichianos, os moreno-pós-kleinianos, os jungomorenianos, os sistêmico-neopsicodramatistas etc., numa cadeia de associações interminável e perfeitamente dispensável.

Fico imaginando que, a essa altura, só a ideia de tão louca classificação equivale a fazer o Barão Samedi alfinetar um boneco de pano representando Moreno, em rituais caribenhos e antilhanos de vodu, capaz de fazê-lo revirar na tumba. Ou, quem sabe, fazer baixar o "caboco Jacob Levy" (*misinfio, eh, eh!*) no cenário-terreiro psicodramático, tendo uma pomba-gira como ego-auxiliar.

Portanto, no que diz respeito a essa terminologia, pergunto: há ou não um neopsicodrama? Sim, há um neopsicodrama, como tão bem Fonseca Filho assinalou e que se caracteriza por uma prática e uma produção teórica diversas daquelas que Moreno praticou e construiu. Não há, no meu modo de ver as coisas, "o neopsicodrama" (a diferença de emprego do artigo indefinido e definido é fundamental) como definidor de uma corrente no psicodrama de hoje, já que todo psicodrama, mesmo aquele contemporâneo do próprio Moreno, é, pela definição anterior, *um* neopsicodrama. Esse me parece ser o sentido que lhe deu Fonseca Filho, mais do que um mero registro temporal, o que evita qualquer extrapolação da utilização do termo. Foi o próprio Fonseca Filho que afirmou não estar propondo a substituição do nome psicodrama por neopsicodrama e que o mais apropriado seria, se assim o quisesse, situá-lo como psicodrama contemporâneo. Concordo inteiramente com ele e reafirmo que a direção da minha crítica tem como foco o mau uso e o desvirtuamento de suas palavras. Logicamente, por esse raciocínio, não há nem pode haver neopsicodramatistas, porque a imensa maioria deles o seria, com exceção, talvez, apenas de Moreno. O mesmo podemos dizer de psicodramatistas "morenianos". Porém, psicodramatistas contemporâneos somos todos nós. Quase podemos dizer que o psicodrama já nasceu e cresceu pós-moreniano.

O que é mesmo relevante e, como já disse, transcende o referencial histórico é refletir sobre como o psicodrama se delineia hoje como prática e quais são os caminhos teóricos em que ele se sustenta com ou sem risco de perder a sua caracterização. Qual é a sua especificidade? Qual poderia ser o seu futuro?

Toda vez que termino de escrever um trabalho de psicodrama que eu mesmo acabo achando estar bem articulado num todo coerente, acabo deparando com um artigo, um capítulo de livro ou uma fala de algum colega psicodramatista que me faz duvidar da pertinência de minhas observações e me obriga, muitas vezes, a uma correção de rota mais profunda e decisiva. Confesso que sinto hoje muito mais prazer em ler os psicodramatistas brasileiros, primeiro, e os estrangeiros contemporâneos, em segundo lugar, que o próprio Moreno. É a fonte onde vou buscar a renovação do psicodrama e onde tenho meus autores preferidos para minha atualização e meu enriquecimento profissional. Neles encontro sempre um ângulo novo que nunca me ocorreu considerar — e é justamente este contato tão produtivo a única via capaz de me fornecer algumas respostas e de me remeter criticamente a Moreno.

Não vejo hoje entre os psicodramatistas uma grande diferença na aplicação prática do psicodrama. A forma de utilização da técnica e o treinamento a que nos submetemos para o seu domínio são muito semelhantes entre todos nós, sem divergências gritantes. Nesse campo, muito se fala (há pelo menos uma década) da necessidade de elaboração e de construção de uma teoria da técnica ou de uma teoria da prática, como a preferem denominar alguns colegas. Há tentativas isoladas de se ocupar do assunto, por meio de artigos esporádicos. É uma das portas abertas para o futuro e foi esboçada num livro de vários autores organizado por Regina Monteiro[137], sobre as técnicas fundamentais do psicodrama, que vai mais além de uma simples listagem de dicas a ser utilizadas no cenário psicodramático. Para que tal projeto se desenvolva, é necessário articulá-lo à concepção do psicodrama como teatro espontâneo e como teatro terapêutico, recuperação esta de implicações não somente estéticas como também questionadora da própria função e do lugar do psicodrama, iniciada por Volpe e por Aguiar em nosso meio. Menegazzo, na Argentina, já havia pontuado a trajetória dos ritos mágicos arcaicos até a representação dramática e psicodramática, passando pelo culto dionisíaco e pela tragédia grega, pelas formas de sua catarse e por suas implicações sociais. Esse tema foi retomado no Brasil por Merengué.

Felizmente ficou para trás a época em que ingênua ou inadvertidamente quase se chegava perto de conceber como objetivo do psicodrama levar o homem a algo próximo de um permanente encontro com os outros, a uma vida em estado de tele, a uma disposição cem por cento espontânea e criativa ou a uma ausência de vicariâncias, ao mesmo tempo que se criticava a utopia moreniana, endossada na prática de tais elaborações.

Não são poucos os psicodramatistas que perderam o medo de apontar as falhas do saber psicodramático, tentando corrigi-las e preenchê-las, sem precisar destruir o Moreno criador e criatura, simplesmente tirando-o do altar dos deuses e trazendo-o para a bancada humana das nossas discussões teóricas, em que se revelam erros e acertos, como o fez Fonseca Filho ao definir a contemporaneidade do psicodrama, desencadeando esse debate tão produtivo.

Entre esses autores, destaco Antônio Gonçalves dos Santos, Camila Salles Gonçalves e Moysés Aguiar como os mais instigantes, sensíveis e brilhantes sinalizadores de uma direção a seguir.

Gonçalves, por meio de uma visão epistemológica, destaca a singularidade da ação dramática e a coloca sob o foco do conhecimento que se atinge pela "intuição, inspiração e o 'fazer' da imaginação"[138]. Tendo o psicodrama, segundo o seu ponto de vista, tal singularidade, ele se configura como a encenação da fantasia, sobre a qual não há acordo entre os psicodramatistas, no que diz respeito a uma maneira de teorizá-la, o que acaba sendo feito ora pelo viés epistemológico das ciências do comportamento, ora pelo da psicanálise, ora pelo da fenomenologia, métodos esses que "podem ser adotados em terapias ou em sessões de terapia em que a dramatização não ocorre"[139]. Esta seria a razão pela qual Gonçalves afirma não existir no psicodrama uma teoria da imaginação e da fantasia. Eis aqui a grande contradição e o grande desafio. Como é possível o psicodrama arrogar para si uma teoria que lhe é própria se até agora não conseguiu teorizar sobre o que lhe é mais singular e do que todo o resto deriva? Essa é a contradição. Por outro lado, se essa construção teórica, centrada na fantasia e na imaginação, está para ser realizada, o que Moreno certamente não o fez cabe a nós, psicodramatistas contemporâneos, fundá-la e fundamentá-la. Eis o desafio.

Santos, por seu lado, destaca três pontos fundamentais que permeiam ou devem permear o esforço de pesquisa do psicodrama da atualidade:

"1) qual o fundamento do psicodrama; 2) em que plano de conhecimento se estrutura; e 3) conceituação de sujeito e subjetividade".[140]

Para ele, "não se somam, nem se justapõem" as concepções do ser formuladas pela psicanálise e pelo psicodrama. Enquanto a primeira o concebe "enquanto negatividade, ser do desejo e da falta, do ocultamento da verdade", o segundo o delineia "enquanto positividade, ser da substância e do conteúdo, da espontaneidade, da revelação da verdade na ação".

Por outro lado, uma de suas críticas é a de, "sendo difícil a separação do 'intra e interpsíquico'", pressupor uma "continuidade entre intrapsíquico e inter-relacional"; uma forma de entendimento prevalente no saber psicodramático é diferente da noção de "sobredeterminação do primeiro em relação ao segundo".

Indo mais além, afirma que o teatro terapêutico "pode ser considerado uma terapia do papel", não havendo lugar, portanto, no "discurso psicodramático moreniano" (entendendo-se aqui não o psicodrama como é concebido e praticado hoje), nem para a "psicoterapia e nem, portanto, para a psicopatologia e psicodinâmica".

Ora, se Gonçalves afirma que a fantasia e a imaginação se configuram como a base da singularidade do psicodrama, que é a ação dramática, só a sua necessária teorização definirá o que é e o que não é fundante e, como tal, em que plano e em que medida de conhecimento se estruturará.

Se, por outro lado, "a função primitiva da fantasia é a encenação do desejo"[141], como nos ensina Camila Salles Gonçalves (mencionada no Capítulo 2), o ser concebido na condição de falta (negatividade) terá de conviver no cenário psicodramático com o mesmo ser concebido na condição de substância (positividade). Se os dois não se somam, como articular ou conciliar o conceito de desejo, impulsionador da fantasia, com a sua expressão coimaginativa, coespontânea e cocriativa através do jogo de papéis? Há aqui outro caminho fecundo a seguir que, de novo, recai na natureza e na forma das conexões — entre o intrapsíquico e o inter-relacional.

Destaco, de Aguiar[142], os seguintes recortes:

1. "As terapias socionômicas têm como eixo o teatro em seu formato terapêutico", sem o qual "os conceitos com os quais operamos se tornam vazios".
2. "O objeto da socionomia é a intersecção entre o individual e o coletivo".
3. "A pesquisa da transferência como contraponto de tele implica a investigação da patologia da relação como tal e não da enfermidade de cada um dos que dela participam — objeto legítimo da psiquiatria e da psicanálise".
4. Dois seriam os caminhos que se oferecem para a busca do conhecimento psicodramático e construção de sua teoria: por meio da psicologia, da psicanálise e da psiquiatria ou pela "via socionômica". No entanto, a singularidade do psicodrama se apresenta como "uma ordem de fenômenos diversa das que constituem os objetos das psicologias, da psicanálise e da psiquiatria". Ao mesmo tempo que é inevitável e fascinante a via de acesso por intermédio destas últimas, capaz de nos deixar mais seguros, em face do seu peso histórico e do seu vastíssimo arsenal teórico, a via socionômica representa um desafio maior sem garantias de compensação, "a não ser o prazer de transitar pelo novo".

Levando em conta tudo isso, uma teoria da fantasia e da imaginação, por uma via socionômica, teria de não só estar ancorada na expressão e nos instrumentos do teatro como também, e principalmente, ser concebida em sua dimensão relacional, no que diz respeito à interseção entre o individual e o coletivo, que engloba todos os pequenos e grandes grupos, até mesmo a família e a sociedade.

É natural que, diante de tão imensa tarefa, cada um tome para si um pedaço como objeto de estudo, escolhendo a via que lhe é mais favorável e onde se movimente com mais desenvoltura — da ação demolidora de mitos e dogmas à tentativa de elaboração de uma teoria psicodramática de conceituação e de terminologia inteiramente novas e desprovida de constructos morenianos.

Entre esses extremos necessários, certamente encontraremos um vasto leque de maneiras de pensar e de se situar diante do psicodrama, que ora privilegia o desenvolvimento das conexões e da prevalência do intrapsíquico, aproximando-se ou afastando-se dos fundamentos originais do teatro, ora traz para o inter-relacional a direção das reflexões. Nesses vários movimentos, Moreno é privilegiado, recuperado naquilo que ele tem de bom, repisado e repetido naquilo que ele tem de ruim, criticado com ou sem razão, entronizado ou destituído de seu valor e até mesmo esquecido ou ignorado. Esse conjunto acaba sendo iluminado por uma luz predominante que se liga ao fio e à tomada ora das várias correntes da psicologia, ora da psicanálise, ora da psiquiatria, ora da socionomia, às vezes até parecendo estar conectada a todas ou a lugar nenhum.

Escolher e enveredar por determinado caminho muitas vezes resulta na troca volúvel de musas inspiradoras. Num belo dia, desanca-se Bergson e traça-se um paralelismo entre o seu pensamento e o de Moreno, para, no instante seguinte, negar tudo e se deslumbrar só com Buber, ou Lacan, ou Freud, ou Reich, ou Merleau-Ponty, ou o deus Etc. que esteja nos maravilhando no momento, colocando por terra o que foi dito antes — como se não tivessem pertinência as diversas maneiras de construir o saber psicodramático, que dessa forma fica muito próximo de apenas ignorância psicodramática.

Não só o psicodrama continua viável em sua prática como mais viável ainda me parece continuar a construir a sua teoria. Não há por que duvidar de que o que faço hoje é psicodrama, embora eu possa definir melhor esse psicodrama que faço e penso. Em vez do psicodrama do talvez ou do psicodrama "às vezes", o psicodrama sempre. O resto é uma questão semântica.

Quem sabe possamos aguardar com serenidade que as uvas amadureçam e, então, usar as mãos entrelaçadas como escada para o outro e colhê-las, ou vice-versa, e destilarmos o vinho de uma sabedoria compartilhada, que tomaremos juntos à mesa dos projetos psicodramáticos futuros, a salvo ou independentemente dos olhos rancorosos de Xantipa, aquela velha raposa, que deve ter passado a La Fontaine, por baixo do pano, os originais de Esopo.

Notas e referências

[1] *Uma estreia divertida (The pickle)*. Direção de Paul Mazursky.

[2] Monteiro, R. F. *Jogos dramáticos*. São Paulo: Ágora, 1994, p. 17.

[3] Gonçalves, C. S. "Pequeno comentário sobre a metodologia psicodramática: o lugar da fantasia". *Anais do 6º Congresso Brasileiro de Psicodrama*, v. 2, 1988a, p. 90-93.

[4] Naffah Neto, A. "O psicossociodrama da Pietá". In: *Psicodramatizar*. São Paulo: Ágora, 1980.

[5] Apollinaire, G. *Oeuvres poétiques*. Paris: Gallimard, 1984.

[6] Miller, H. *O sorriso ao pé da escada*. 2. ed. Rio de Janeiro: Salamandra, 1979.

[7] Andrade, C. D. *Poesia completa e prosa*. 4. ed. Rio de Janeiro: Nova Aguilar, 1977.

[8] Lorca, F. G. "Madrigal". In: *Obra poética completa*. Brasília: Ed. da UnB, 1989.

[9] Andrade, M. "Remate dos males". In: *Poesias completas*. 3. ed. São Paulo: Martins, 1972.

[10] Mezher, A. "A 'práxis' de um socionomista brasileiro e seus fundamentos ideológicos-filosóficos". *Anais do 6º Congresso Brasileiro de Psicodrama*, 1988, p. 131-33.

[11] Alves, L. H. *Instituição psicodramática: gênese de uma escola*. Dissertação de mestrado apresentada ao Departamento de Medicina Preventiva da Faculdade de Medicina da Universidade de São Paulo, 1988.

[12] Moreno, J. L. *Psicoterapia de grupo e psicodrama*. São Paulo: Mestre Jou, 1974.

[13] Cortázar, J. *O jogo da amarelinha*. São Paulo: Círculo do Livro, 1990.

[14] Santos, G. S. Réplica a *Psicodrama ou neopsicodrama?*, de Fonseca Filho, J. S. *Psicodrama*, ano IV, v. 4, 1992, p. 19-24.

[15] Rojas-Bermúdez, J. G. *Introdução ao psicodrama*. São Paulo: Mestre Jou, 1970.

[16] Pichon-Rivière, E. *Teoría del vínculo*. Buenos Aires: Nueva Visión, 1985.

[17] Sobre o assunto, recomendo a leitura de *Masp 1970 – O psicodrama*, de Norival Albergaria Cepeda e Maria Aparecida Fernandes Martin (São Paulo: Ágora, 2010).

[18] Souza Leite, M. P. "Enfoque psicodramático das psicoses. Núcleo do Eu". *Temas*, ano VII, v. 13, 1977, p. 125-37.

[19] Campedelli, A. M. *A propósito do psicodrama bipessoal*. Monografia apresentada à Sociedade de Psicodrama de São Paulo para credenciamento como terapeuta de aluno, 1978.

[20] Nabholtz, A. L. *et al.* "A propósito do psicodrama bipessoal". *Revista da Febrap*, ano 4, v. 1, 1981, p. 35-38.

[21] Eva, A. C. "Grupos terapêuticos psicodramáticos: uma tentativa de sistematização". *Psicodrama*, ano II, n. 2, 1977-1978, p. 27-38.

[22] Naffah Neto, A. *Psicodrama: descolonizando o imaginário*. São Paulo: Brasiliense, 1979. Edição atual: Plexus, 1997.

[23] Fonseca Filho, J. S. *Psicodrama da loucura*. São Paulo: Ágora, 1980. Edição revista: Ágora, 2008.

[24] Rocheblave-Spenlé, A. M. *La notion de rôle en psychologie sociale*. 2. ed. Paris: PUF, 1969.

[25] Mezher, A. "Um questionamento acerca da validade do conceito de papel psicossomático". *Revista da Febrap*, ano 3, v. 1, 1980, p. 221-23.

[26] Almeida, W. C. *Psicoterapia aberta: o método do psicodrama*. São Paulo: Ágora, 1982. Edição revista: 2006.

[27] Aguiar, M. *Teatro da anarquia: um resgate do psicodrama*. Campinas: Papirus, 1988.

[28] Volpe, A. J. *Édipo: psicodrama do destino*. São Paulo: Ágora, 1990.

[29] Alves, L. F. R. "O protagonista: conceito e articulação na teoria e na prática". *Anais do 7º Congresso Brasileiro de Psicodrama*. Rio de Janeiro: 1990, p. 557-59.

[30] Reis, M. D. *Tele – Substrato das relações interpessoais: uma contribuição*. Monografia. Goiânia, 1986.

[31] Garrido-Martín, E. *J. L. Moreno: psicologia do encontro*. São Paulo: Ágora, 1996.

[32] Naffah Neto, A. "Os papéis e os corpos". In: *Paixões e questões de um terapeuta*. São Paulo: Ágora, 1990.

[33] Em outubro de 1993, a Febrap realizou em Serra Negra (SP) o I Seminário Brasileiro de Teoria do Psicodrama, que representou um passo amadurecido de todo esse processo de construção e reconstrução teórica.

[34] Gonçalves, C. S. "Pequeno comentário sobre a metodologia psicodramática", 1988a, *op. cit.*

[35] ______. *Psicodrama com crianças – Uma psicoterapia possível*. São Paulo: Ágora, 1988.

[36] Romana, M. A. "Consideração sobre a esquecida adolescência de J. L. Moreno". In: Vários autores. *J. L. Moreno, o psicodramaturgo*. São Paulo: Casa do Psicólogo, 1990, p. 62-74.

[37] Wolff, J. R. *Sonho e loucura*. São Paulo: Ática, 1985.

[38] Fonseca Filho, J. S. "Psicodrama ou neopsicodrama?" *Psicodrama*, ano IV, n. 4, 1992, p. 7-19.

[39] Marineau, R. *J. L. Moreno: sa vie, son ouevre*. Montreal: Saint-Martin, 1990. Em português, *Jacob Levy Moreno, 1889-1974 – Pai do psicodrama, da sociometria e da psicoterapia de grupo*. São Paulo: Ágora, 1992.

[40] *Ibidem*. O trecho citado não está na edição brasileira da obra, que foi traduzida do original em inglês, no qual essas palavras do autor foram suprimidas.

[41] *Ibidem*.

[42] "Importância do predomínio da teoria moreniana no curso de formação psicodramática" – Relatório. 1º Encontro de Professores e Supervisores de Psicodrama. Febrap, Brasília, 1987.

[43] Paiva, L. A. "Tele, empatia e transferência". *Revista da Febrap*, ano 3, n. 1, 1980, p. 52-55.

[44] Aguiar, M. *O teatro terapêutico – Escritos psicodramáticos*. Campinas: Papirus, 1990.

[45] REIS, M. D. *Tele – Substrato das relações interpessoais: uma contribuição*, 1986, *op. cit.*

[46] PAIVA, L. A. "Tele, empatia e transferência", 1980, *op. cit.*

[47] BUSTOS, D. M. *Novos rumos em psicodrama*. São Paulo: Ática, 1992.

[48] AGUIAR, M. *O teatro terapêutico*, 1990, *op. cit.*

[49] *Ibidem.*

[50] *Ibidem.*

[51] Para Reis, as "relações télicas", do ponto de vista da percepção, seriam configuradas pelas mutualidades. As relações transferenciais, pelas incongruências.

[52] MORENO, J. L. *Fundamentos de la sociometria*. Buenos Aires: Paidós, 1972.

[53] *Ibidem.*

[54] *Ibidem.*

[55] Reis também não admite tele positiva e tele negativa, muito menos tele a distância, autotele e aristotele (por intermédio de outro). Para ele, existindo uma rede télica, a presença do outro, envolvido diretamente na relação, é imprescindível.

[56] AGUIAR, M. *O teatro terapêutico*, 1990, *op. cit.*

[57] NAFFAH NETO, A. *Psicodrama: descolonizando o imaginário*, 1997, *op. cit.*

[58] PERAZZO, S. *Descansem em paz os nossos mortos dentro de mim*. 5. ed. rev. São Paulo: Ágora, 2019, p. 99.

[59] Aplique-se aqui a mesma crítica sobre o que é definido como real.

[60] PERAZZO, S. *Descansem em paz os nossos mortos dentro de mim*, 2019, *op. cit.*

[61] RAMADAM, Z. B. A. *Psicoterapias*. São Paulo: Ática, 1987.

[62] *Ibidem.*

[63] *Ibidem.*

[64] *Ibidem.*

[65] LAPLANCHE, J.; PONTALIS, J. B. *Vocabulário de psicanálise*. Lisboa: Moraes, 1976.

[66] MENEGAZZO, C. M.; TOMAZINI, M. A.; ZURETTI, M. M. *Dicionário de psicodrama e sociodrama*. São Paulo: Ágora, 1995.

[67] REIS, M. D. *Tele – Substrato das relações interpessoais: uma contribuição*, 1986, *op. cit.*

[68] ALVES, L. F. R. "O desejo no teste sociométrico". *Revista da Febrap*, ano 5, n. 1, 1984, p. 67-72.

[69] GONÇALVES, C. S. "Pequeno comentário sobre a metodologia psicodramática: o lugar da fantasia", 1988, *op. cit.*

[70] PERAZZO, S. "Revisão crítica dos conceitos tele e transferência". Anais do 6º Congresso Brasileiro de Psicodrama, Salvador, 1988.

[71] ALMEIDA, W. C.; GONÇALVES, C. S.; WOLFF, J. R. *Lições de psicodrama – Introdução ao pensamento de J. L. Moreno*. São Paulo: Ágora, 1988.

[72] ALMEIDA, W. C. *Psicoterapia aberta*, 2006, *op. cit.*

[73] REIS, M. D. *Tele – Substrato das relações interpessoais: uma contribuição*, 1986, *op. cit.*

[74] AGUIAR, M. "A evolução dos conceitos tele e transferência". Mesa-redonda, IV Encontro Internacional de Psicodrama, São Paulo, 1991, não publicado.

[75] *Ibidem.*

[76] PERAZZO, S. "Revisão crítica dos conceitos tele e transferência", 1988, *op. cit.*

[77] Gonçalves, C. S. "Pequeno comentário sobre a metodologia psicodramática", 1988a, *op. cit.*

[78] Perazzo, S. "Perséfone e o mendigo: a força iluminadora e a restauração estética do psicodrama". In: Petrilli, S. R. A. (coord.). *Rosa dos ventos da teoria do psicodrama.* São Paulo: Ágora, 1994.

[79] Um momento relacional também pode ser considerado um miniprocesso relacional.

[80] Lacan, J. *Écrits I.* Paris: Seuil, 1966.

[81] Papéis imaginários são utilizados aqui no sentido que Naffah Neto lhes deu em 1979. Voltarei ao tema mais pormenorizadamente no Capítulo 5, o que deixará mais claro por que insisto nessa forma de falar em vez de usar a terminologia psicanalítica "fantasia inconsciente grupal".

[82] A elaboração psicodramática dos papéis de fantasia e dos papéis imaginários do coinconsciente grupal é claramente visível na ação dramática, em procedimentos como o teatro espontâneo, o jornal vivo ou os jogos dramáticos, no qual o próprio grupo se encarrega de lhe dar um destino, como preconizado por Navarro.

[83] A caracterização de psicodrama ou psicoterapia psicodramática individual bipessoal e individual pluripessoal, originalmente descrita por Bustos, obedece aos seguintes critérios: 1) individual — referência ao número de pacientes ou clientes, no caso um; 2) bipessoal ou pluripessoal — referência ao número de terapeutas (psicodramatistas), um ou mais (no caso de trabalho em unidade funcional). Essa é a terminologia que adoto. A substituição de tais termos por, simplesmente, psicodrama ou psicoterapia psicodramática individual ou psicodrama ou psicoterapia psicodramática bipessoal, quer tenha ou não a presença de um ego-auxiliar profissional, passou a ser utilizada cotidianamente no meio psicodramático brasileiro. Rosa Cukier, em seu excelente livro *Psicodrama bipessoal* (São Paulo: Ágora, 1992), é uma defensora dessa forma de se exprimir, alegando que essa nova utilização dos termos deve ser mantida porque é referendada "por um grande número de pessoas" e "por si só já mostra sua eficácia significante". No que diz respeito somente aos psicodramatistas, concordo plenamente com Cukier. Todavia, não devemos esquecer que a comunicação científica do psicodrama transcende a comunidade psicodramática. Logo, falar de psicodrama individual com a presença de três pessoas, ou mais, para não psicodramatistas soa, no mínimo, estranho, porque o significante nessa comunidade mais ampla é outro. Eis por que continuo insistindo no emprego da nomenclatura original, para maior precisão e clareza na comunicação científica num contexto não tão restrito, no qual o psicodramatista também se insere.

[84] Toda a discussão que aqui se estabelece sobre aquecimento e sua manutenção e a ação reparatória se aplica quer à psicoterapia psicodramática de grupo, quer à individual bipessoal ou pluripessoal, salvo referências específicas no texto.

[85] Esse tema será discutido mais amplamente no Capítulo 6.

[86] La Planche, J.; Pontalis, J. B. *Vocabulário de psicanálise*, 1976, *op. cit.*

[87] Bustos formulou o conceito de *papel complementar interno patológico* para designar o papel complementar primário em relação ao qual ocorre e começa um conflito, configurando dada transferência, já que qualquer conflito se inicia a partir de um papel.

[88] No livro *Psicodrama* (São Paulo: Cultrix, 1978), capítulo "Princípios da espontaneidade", Moreno diz que "a função da realidade opera mediante interpolações de re-

sistências que não são introduzidas pela criança mas lhe são impostas por outras pessoas, suas relações, coisas e distâncias no espaço, e atos e distâncias no tempo. A fantasia ou função psicodramática está livre dessas resistências extrapessoais, a menos que o indivíduo interponha a sua própria resistência". Esse é o sentido de interpolações de resistências empregado neste capítulo. Interpolações de resistências, como procedimento técnico em psicodrama, tem uma definição completamente diferente, o que acaba causando muita confusão, e não cabe discuti-la no transcorrer destas formulações.

[89] Ao falar sobre o lugar da fantasia no psicodrama, Camila Salles Gonçalves (1988a, *op. cit.*) admite que "a vivência de papéis é imaginária ou efetiva, consciente ou inconsciente" e explicita a existência de papel imaginário consciente e de papel imaginário inconsciente.

[90] Naffah Neto, A. *Psicodrama: descolonizando o imaginário*, 1997, *op. cit.* Todas as citações apontadas nos próximos seis parágrafos se referem a essa mesma obra.

[91] Aguiar, M. *O teatro terapêutico*, 1990, *op. cit.*

[92] Bustos classifica os iniciadores em corporais (zonas corporais em tensão), emocionais (estados emocionais) e ideativos (fantasia).

[93] Rosa, J. G. "A terceira margem do rio". In: *Primeiras estórias*. 26. ed. Rio de Janeiro: Nova Fronteira, 1988.

[94] Para a melhor compreensão do conceito de projeto dramático, nos remetemos a Aguiar, que o define como o objetivo de uma relação, convencionado explícita ou implicitamente por meio de dada complementaridade de papéis.

[95] Conceito proposto e discutido no Capítulo 5.

[96] Rosa, J. G. "A terceira margem do rio", 1988, *op. cit.*

[97] Mezher, numa comunicação pessoal, dispensa o uso de inter-relação como redundante, preferindo a denominação relação e utilizando vínculo para a relação intermediada por papéis. À falta de uma sistematização mais definida quanto a tais termos, continuo utilizando qualquer um deles indiferentemente até um melhor aclaramento teórico. Relação, de *relacione*, significa ligação, vinculação. Inter-relação, segundo o *Aurélio*, é sinônimo de relação mútua. Por enquanto me contento com essa sinonímia.

[98] O termo assimetria é utilizado aqui no sentido que Bustos lhe deu. Ele considera simétricos os vínculos que podem ser nomeados pelo simples plural que define os papéis em questão (amantes, irmãos, amigos etc.) e supõe o mesmo grau de responsabilidade entre os envolvidos. Assimétrico seria o vínculo que só pode ser caracterizado pela explicitação dos dois papéis (patrão-empregado, terapeuta-cliente etc.) e que envolve hierarquia e responsabilidades diferentes.

[99] As articulações entre desejo, interpolação de resistências e transferência foram amplamente discutidas nos Capítulos 2 e 5. A noção de papéis de fantasia foi introduzida no Capítulo 5.

[100] Bergson, H. *O riso*. 2. ed. Rio de Janeiro: Guanabara, 1987.

[101] Shakespeare, W. "Hamlet". In: *Tragédias*. São Paulo: Abril, 1978.

[102] ______. *Comédias e sonetos*. São Paulo: Abril, 1978.

[103] Bergson, H. *O riso*, 1987, *op. cit.*

[104] *Ibidem.*

[105] *Ibidem.*

[106] Volpe, A. J. *Édipo: psicodrama do destino*. São Paulo: Ágora, 1990.

[107] Duclós, S. M. "Reflexões sobre o trabalho: 'Perséfone e o mendigo: a força iluminadora e a restauração estética do psicodrama', de Sergio Perazzo. Mesa-redonda, 1º Seminário Brasileiro de Teoria do Psicodrama, Serra Negra, 1993, não publicado.
[108] Menegazzo, C. M. *Magia, mito e psicodrama*. São Paulo: Ágora, 1994.
[109] Merengué, D. "O estar fora de si protagônico". In: Vários autores. *Rosa dos ventos da teoria do psicodrama*. São Paulo: Ágora, 1994.
[110] Gonçalves, C. S. Pequeno comentário sobre a metodologia psicodramática: o lugar da fantasia. *Anais do 6º Congresso Brasileiro de Psicodrama*, Salvador, v. 2, 1988, p. 90-93.
[111] Santos, G. S. "Ação dramática: seu sentido ético e suas roupagens ideológicas". In: Vários autores. *J. L. Moreno, o psicodramaturgo*. São Paulo: Casa do Psicólogo, 1989, cap. X.
[112] Magaldi, S. *Iniciação ao teatro*. 4. ed. São Paulo: Ática, 1991.
[113] Vargas Llosa, M. *Tia Júlia e o escrevinhador*. Rio de Janeiro: Alfaguara, 2007.
[114] Magaldi, S. *Iniciação ao teatro*, 1991, *op. cit.*
[115] Buchbinder, M. *A poética do desmascaramento: os caminhos da cura*. São Paulo: Ágora, 1996.
[116] *Ibidem*.
[117] Freud, S. "A piada e as espécies do cômico". In: *Obras completas*. 3. ed. Madri: Biblioteca Nueva, 1973.
[118] Lagarde, A.; Michard, L. *XXe siècle*. 2. ed. Paris: Bordas, 1980.
[119] Freud, S. "A piada e as espécies do cômico", 1973, *op. cit.*
[120] Fanchette, J. *Psicodrama y teatro moderno*. Buenos Aires: Pleyade, 1975.
[121] Aguiar, M. *Teatro da anarquia*, 1988, *op. cit.*
[122] Moreno, J. L. *O psicodrama*, 1978, *op. cit.*
[123] *Ibidem*.
[124] Santos, G. S. "Ação dramática: seu sentido ético e suas roupagens ideológicas", 1989, *op. cit.*
[125] Bustos, D. M. *Novos rumos em psicodrama*, 1992, *op. cit.*
[126] Bour, P. *Psicodrama e vida*. Rio de Janeiro: Zahar, 1974.
[127] Anzieu, D. *Psicodrama analítico*. Rio de Janeiro: Campus, 1981.
[128] Schutzenberger, A. A. *Introducción al psicodrama*. Madri: Aguilar, 1970.
[129] Lemoine, G.; Lemoine, P. *O psicodrama*. Belo Horizonte: Interlivros, 1978.
[130] Weil, P. *Psicodrama*. Rio de Janeiro: Cepal, 1978.
[131] Rojas-Bermúdez, J. G. *Introdução ao psicodrama*. São Paulo: Mestre Jou, 1970.
[132] Bustos, D. M. *El psicodrama: aplicaciones de la técnica psicodramática*. Buenos Aires: Plus Ultra, 1974.
[133] Pundik, J.; Pundik, M. D. *Introducción al psicodrama y a las nuevas experiencias grupales*. Buenos Aires: Paidós, 1974.
[134] Bouquet, C. M.; Moccio, P.; Pavlovsky, E. *Psicodrama psicoanalítico en grupos*. Buenos Aires: Kargieman, 1975.
[135] Bouquet, C. M. *Fundamentos para una teoría del psicodrama*. Buenos Aires: Siglo Veintiuno, 1977.
[136] Basquin, M. *et al. El psicodrama: un acercamiento psicoanalítico*. Buenos Aires: Siglo Veintiuno, 1977.

[137] Monteiro, R. F. (org.). *Técnicas fundamentais do psicodrama*. São Paulo: Ágora, 1988.

[138] Gonçalves, C. S. "Epistemologia do psicodrama: uma primeira abordagem". In: Vários autores. *J. L. Moreno, o psicodramaturgo*. São Paulo: Casa do Psicólogo, 1989, cap. VII.

[139] *Ibidem*.

[140] Santos, A. G. "Réplica a 'Psicodrama ou neopsicodrama?' de Fonseca Filho, J. S.". *Psicodrama*, ano IV, n. 4, 1992, p. 19-24. As citações dos próximos três parágrafos são do mesmo autor.

[141] Gonçalves, C. S. "Comentário sobre a metodologia psicodramática: o lugar da fantasia", 1988, *op. cit.*

[142] Aguiar, M. "Réplica a 'Psicodrama ou neopsicodrama?' de Fonseca Filho, J. S.". *Psicodrama*, ano IV, n. 4, 1992, p. 24-28.

Agradecimentos

A meus alunos e supervisionandos, que sempre me obrigam a sistematizar teoricamente a fluidez e o emperramento da minha prática psicodramática em moto-contínuo.

Aos muitos psicodramatistas brasileiros, meus colegas — nomear cada um deles seria impossível —, que me encantam e me influenciam com sua produção teórica, independentemente do volume e da frequência de suas publicações, e com seu trabalho prático, o teatro mais criativo do qual sempre sou um entusiasmado participante.

A Rosa Maria Ramão da Silva, pela extensa e paciente datilografia.

www.gruposummus.com.br